하루 10분 서술형/문장제 학습지

씨투엠

수학 독해

C3 측정 단위

초3~초4

씨투엠

수학독해 : 수학을 스스로 읽고 해결하다

객관식이나 간단한 단답형 문제는 자신 있는데 긴 문장이나 풀이 과정을 쓰라는 문제는 어려워하는 아이들이 있어요. 빠르고 정확하게 연산하고 교과 응용문제까지도 곧잘 풀어내지만, 문제 속 상황이 약간만 복잡해지면 문제를 풀려고도 하지 않는 아이들도 많아요. 이러한 아이들에게 부족한 것은 연산 능력이나 문제 해결력보다는 독해력과 표현력입니다. 특히 수학적 텍스트를 이해하고 표현하는 능력, 즉 수학 독해력이지요.

요즘 아이들의 독해력이 약해진 가장 큰 이유는 과거에 비해 이야기를 만나는 방식이 다양해졌기 때문이에요. 예전에는 대부분 말이나 글로써만 이야기를 접했어요. 텍스트 위주로 여러 가지 사건을 간접 체험하고, 머릿 속으로 상황을 그려내는 훈련이 자연스럽게 이루어졌지요. 반면 요즘 아이들은 글보다도 TV나 스마트폰 등 영상매체에 훨씬 빨리, 자주 노출되기에 글을 통해 상상을 할 필요가 점점 없어지게 되었습니다.

그렇다고 아이들에게 어렸을 때부터 영화나 애니메이션을 못 보게 하고 책만 읽게 하는 것은 바람직하지 않고, 가능하지도 않아요. 시각 매체는 그 자체로 많은 장점이 있기 때문에 지금의 아이들은 예전 세대에 비해 이미지에 대한 이해력과 적용력이 매우 뛰어나답니다. 문제는 아직까지 모든 학습과 평가 방식이 여전히 텍스트 위주이기 때문에 지금도 아이들에게 독해력이 중요하다는 점이에요. 그래서 저희는 영상 매체에는 익숙하지만 말이나 글에는 약한 아이들을 위한 새로운 수학 독해력 향상 프로그램인 씨투엠 수학독해를 기획하게 되었어요.

씨투엠 수학독해는 기존 문장제/서술형 교재들보다 더욱 쉽고 간단한 학습법을 보여주려 해요. 문제에 있는 문장과 표현 하나하나마다 따로 접근하여 아이들이 어려워하는 포인트를 찾고, 각 포인트마다 직관적인 활동을 통해 독해력과 표현력을 차근차근 끌어올리려고 합니다. 또한 문제 이해와 풀이 서술 과정을 단계별로 세세하게 나누어 문장제, 서술형 문제를 부담 없이 체계적으로 연습할 수 있어요. 새로운 문장제 학습법인 씨투엠 수학독해가 문장제 문제에 특히 어려움을 겪고 있거나 앞으로 서술형 문제를 좀 더 잘 대비하고 싶은 아이들에게 큰 도움이 될 것이라 자신합니다.

씨투엠

수학독해의 구성과 특징

- 매일 부담없이 2쪽씩, 하루 10분 문장제 학습
- 매주 5일간 단계별 활동, 6일차는 중요 문장제 확인학습
- 5회분의 진단평가로 테스트 및 복습

주차별 구성

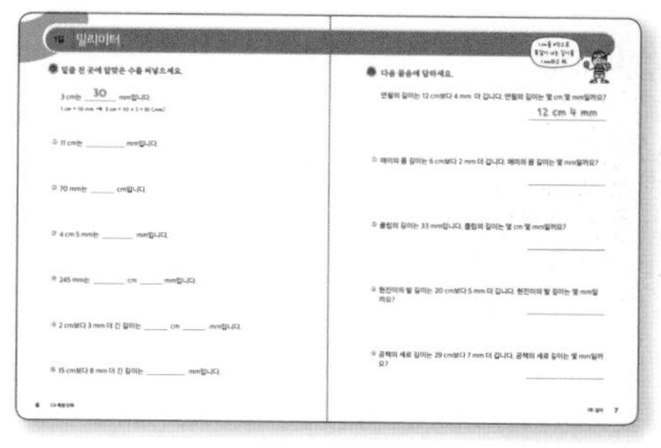

일일학습

꼬마 수학자들의
간단한 팁과 함께
매일 새롭게 만나는
단계별 문장제 활동

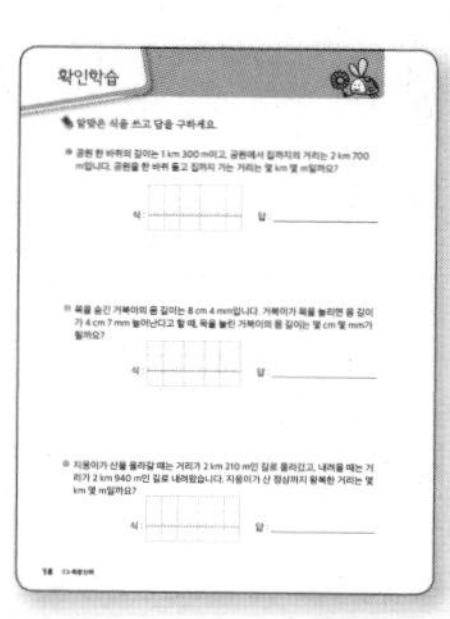

확인학습

중요 문장제 활동을
다시 한번 확인하며
주차 학습 마무리

	1일	2일	3일	4일	5일	확인학습
1주차	6쪽 ~ 7쪽	8쪽 ~ 9쪽	10쪽 ~ 11쪽	12쪽 ~ 13쪽	14쪽 ~ 15쪽	16쪽 ~ 18쪽
2주차	20쪽 ~ 21쪽	22쪽 ~ 23쪽	24쪽 ~ 25쪽	26쪽 ~ 27쪽	28쪽 ~ 29쪽	30쪽 ~ 32쪽
3주차	34쪽 ~ 35쪽	36쪽 ~ 37쪽	38쪽 ~ 39쪽	40쪽 ~ 41쪽	42쪽 ~ 43쪽	44쪽 ~ 46쪽
4주차	48쪽 ~ 49쪽	50쪽 ~ 51쪽	52쪽 ~ 53쪽	54쪽 ~ 55쪽	56쪽 ~ 57쪽	58쪽 ~ 60쪽

진단평가 구성

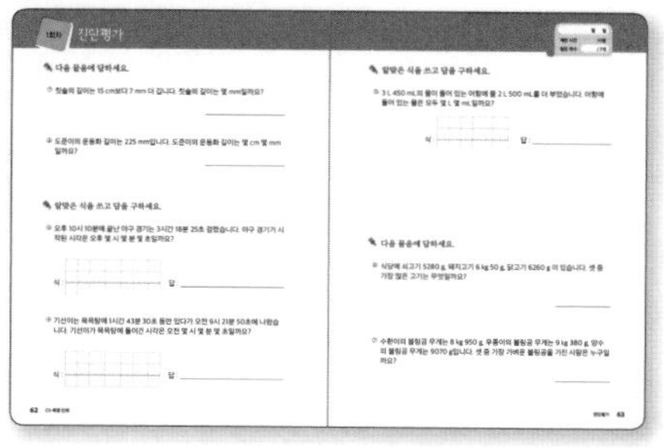

진단평가

4주 간의 문장제 학습에서 부족한 부분을
확인하고 복습하기 위한 자가 진단 테스트

	1회	2회	3회	4회	5회
진단평가	62쪽 ~ 63쪽	64쪽 ~ 65쪽	66쪽 ~ 67쪽	68쪽 ~ 69쪽	70쪽 ~ 71쪽

이 책의 차례

1주차

길이

밀리미터

❀ 밑줄 친 곳에 알맞은 수를 써넣으세요.

3 cm는 ___30___ mm입니다.

1 cm = 10 mm → 3 cm = 10 × 3 = 30 (mm)

① 11 cm는 ________ mm입니다.

② 70 mm는 ________ cm입니다.

③ 4 cm 5 mm는 ________ mm입니다.

④ 245 mm는 ________ cm ________ mm입니다.

⑤ 2 cm보다 3 mm 더 긴 길이는 ________ cm ________ mm입니다.

⑥ 15 cm보다 8 mm 더 긴 길이는 ________ mm입니다.

다음 물음에 답하세요.

연필의 길이는 12 cm보다 4 mm 더 깁니다. 연필의 길이는 몇 cm 몇 mm일까요?

12 cm 4 mm

① 매미의 몸 길이는 6 cm보다 2 mm 더 깁니다. 매미의 몸 길이는 몇 mm일까요?

② 클립의 길이는 33 mm입니다. 클립의 길이는 몇 cm 몇 mm일까요?

③ 현진이의 발 길이는 20 cm보다 5 mm 더 깁니다. 현진이의 발 길이는 몇 mm일까요?

④ 공책의 세로 길이는 29 cm보다 7 mm 더 깁니다. 공책의 세로 길이는 몇 mm일까요?

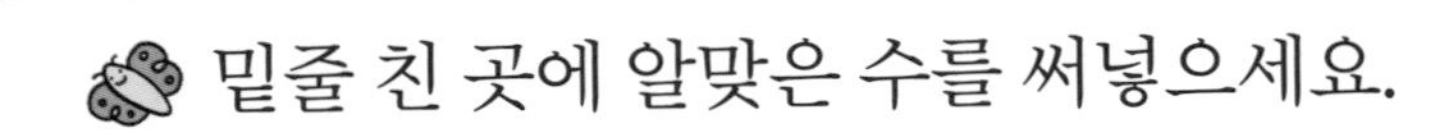

2일 킬로미터

밑줄 친 곳에 알맞은 수를 써넣으세요.

5 km는 ___5000___ m입니다.

1 km = 1000 m → 5 km = 1000 × 5 = 5000 (m)

① 8 km는 ______ m입니다.

② 7000 m는 ______ km입니다.

③ 4 km 100 m는 ______ m입니다.

④ 5090 m는 ______ km ______ m입니다.

⑤ 2 km보다 450 m 더 먼 거리는 ______ km ______ m입니다.

⑥ 6 km보다 225 m 더 먼 거리는 ______ m입니다.

다음 물음에 답하세요.

집에서 학교까지의 거리는 1 km보다 500 m 더 멉니다. 집에서 학교까지의 거리는 몇 km 몇 m일까요?

1 km 500 m

① 산의 높이는 2 km 700 m입니다. 산의 높이는 몇 m일까요?

② 등산로의 길이는 4250 m입니다. 등산로의 길이는 몇 km 몇 m일까요?

③ 다리의 길이는 1 km 385 m입니다. 다리의 길이는 몇 m일까요?

④ 현아는 100 m 길이 트랙을 35번 달렸습니다. 현아가 달린 거리는 몇 km 몇 m일까요?

3일 길이 어림

밑줄 친 곳에 mm, cm, m 또는 km를 써넣으세요.

볼펜의 길이는 약 150 __mm__ 입니다.

150 cm짜리 볼펜은 필통에 들어가지 않아.

① 농구 선수의 키는 약 2 ______ 입니다.

② 산의 높이는 약 2 ______ 입니다.

③ 자동차로 한 시간에 가는 거리는 약 60 ______ 입니다.

④ 막대자의 길이는 30 ______ 입니다.

⑤ 구두의 길이는 약 250 ______ 입니다.

⑥ 운동장 한 바퀴의 길이는 약 350 ______ 입니다.

알맞은 길이를 골라 밑줄 친 곳에 써넣으세요.

25 mm	25 cm	2 m 50 cm
250m	25 km	

빌딩의 높이는 약 250 m 입니다.

① 양말의 길이는 약 ________ 입니다.

② 강의 길이는 약 ________ 입니다.

③ 바닥에서 천장까지의 높이는 약 ________ 입니다.

④ 쌓기나무의 한 모서리의 길이는 약 ________ 입니다.

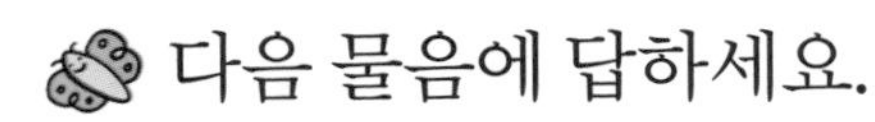

4일 길이 비교

다음 물음에 답하세요.

연필의 길이는 15 cm 5 mm, 칫솔의 길이는 173 mm입니다. 연필과 칫솔 중 더 긴 것은 무엇일까요?

15 cm 5 mm = 155 mm

$155 < 173$

답: 칫솔

① 운동화의 길이는 235 mm, 구두의 길이는 25 cm 5 mm입니다. 운동화와 구두 중 더 짧은 것은 무엇일까요?

______

② 학교에서 도서관까지의 거리는 2 km, 학교에서 체육관까지의 거리는 1 km 860 m입니다. 학교에서 더 먼 곳은 어디일까요?

______

③ 빨간색 리본의 길이는 505 mm, 파란색 리본의 길이는 49 cm 5 mm입니다. 두 리본 중 더 긴 것은 무슨 색깔일까요?

______

④ 공원 한 바퀴의 길이는 1 km 530 m, 둘레길 한 바퀴의 길이는 1690 m입니다. 한 바퀴의 길이가 더 짧은 것은 어디일까요?

______

길이를 같은 단위로
나타내면 더 쉽게
비교할 수 있어.

다음 물음에 답하세요.

집에서 학교까지의 거리는 980 m, 도서관까지의 거리는 1 km 150 m, 공원까지의 거리는 1045 m입니다. 집에서 가장 가까운 곳은 어디일까요?

1150 > 1045 > 980
도서관 > 공원 > 학교

학교

① 샤프펜슬의 길이는 16 cm 2 mm, 볼펜의 길이는 154 mm, 색연필의 길이는 15 cm 8 mm입니다. 셋 중 가장 긴 것은 무엇일까요?

② 가람산의 높이는 1 km 270 m, 나라산의 높이는 1510 m, 다문산의 높이는 1 km 340 m입니다. 세 산 중 가장 높은 산은 어디일까요?

③ 발의 길이를 재었더니 명은이는 225 mm, 혜진이는 21 cm 7 mm, 혜렴이는 232 mm였습니다. 셋 중 발이 가장 짧은 사람은 누구일까요?

5일 길이의 합과 차

알맞은 식을 쓰고 답을 구하세요.

빨간색 크레파스의 길이는 6 cm 8 mm이고, 파란색 크레파스의 길이는 7 cm 2 mm입니다. 두 크레파스의 길이의 합은 몇 cm 몇 mm일까요?

식 :

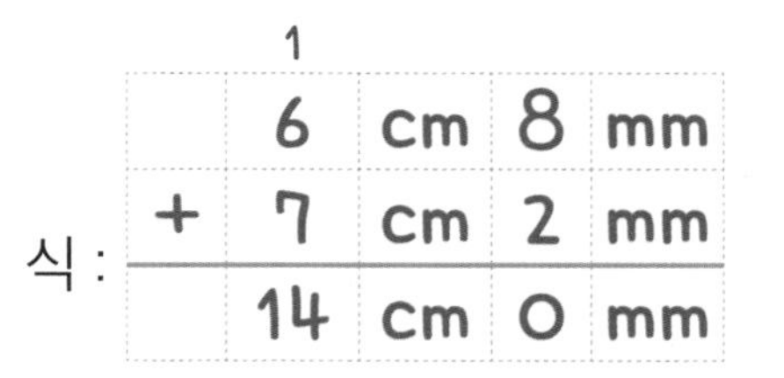

답 : 14 cm

8 mm + 2 mm = 10 mm = 1 cm

① 길이가 12 cm 5 mm인 색 테이프와 8 cm 7 mm인 색 테이프를 겹치는 부분 없이 이어 붙였습니다. 이어 붙인 길이는 몇 cm 몇 mm일까요?

식 :

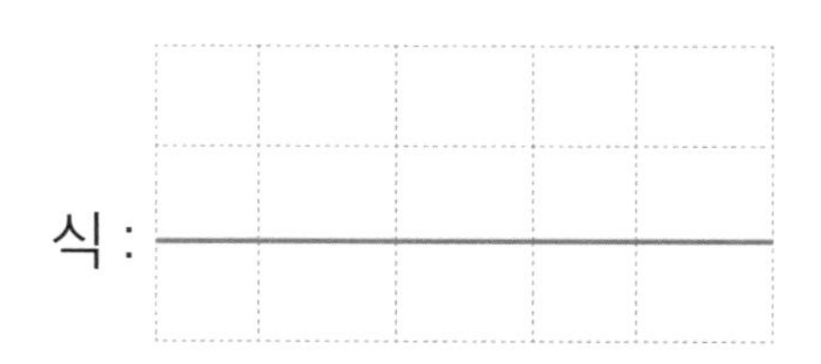

답 : ____________

② 길이가 15 cm 2 mm인 초가 2 cm 7 mm만큼 줄어들었습니다. 초의 길이는 몇 cm 몇 mm가 되었을까요?

식 :

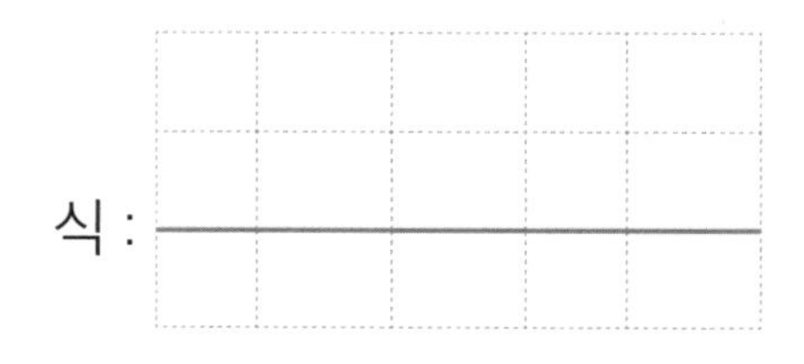

답 : ____________

❀ 알맞은 식을 쓰고 답을 구하세요.

마음산의 높이는 1 km 890 m이고, 바른산의 높이는 2 km 300 m입니다. 바른산은 마음산보다 몇 km 몇 m 더 높을까요?

식 :

	1		1000	
	~~2~~	km	300	m
−	1	km	890	m
	0	km	410	m

1300 m − 890 m = 410 m

답 : 410 m

① 자동차로 9 km 200 m를 갔다가 왔던 길로 다시 4 km 470 m를 돌아왔습니다. 자동차는 출발한 곳에서 몇 km 몇 m 떨어져 있을까요?

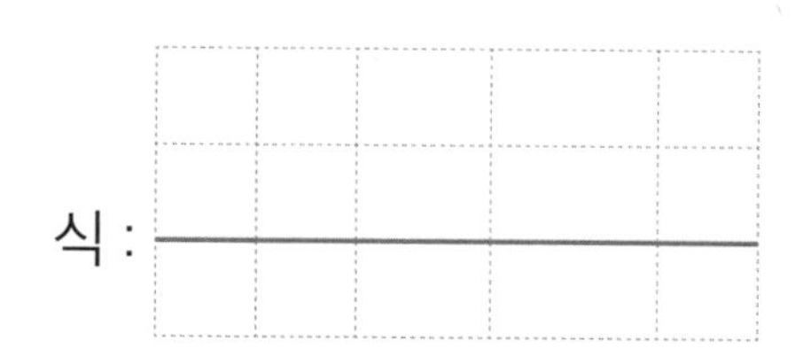

식 :　　　　답 :

② 집에서 도서관까지의 거리는 1 km 550 m이고, 도서관에서 학교까지의 거리는 3 km 480 m입니다. 집에서 도서관을 거쳐 학교까지 가는 거리는 몇 km 몇 m일까요?

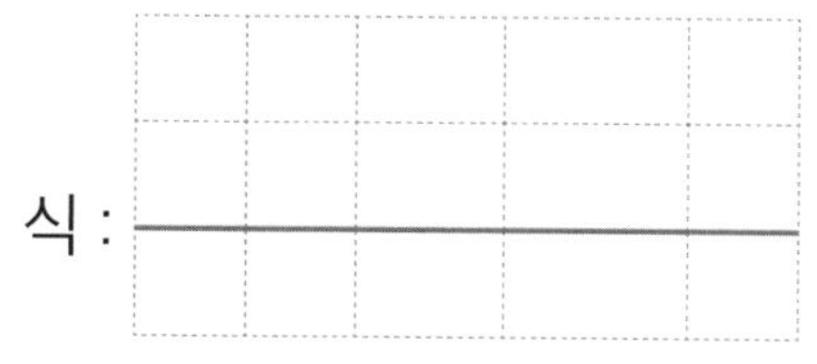

식 :　　　　답 :

확인학습

다음 물음에 답하세요.

① 크레파스의 길이는 88 mm입니다. 크레파스의 길이는 몇 cm 몇 mm일까요?

② 주민이의 한 뼘의 길이는 10 cm보다 6 mm 더 깁니다. 주민이의 한 뼘의 길이는 몇 mm일까요?

다음 물음에 답하세요.

③ 호수 둘레길의 길이는 2 km 860 m입니다. 호수 둘레길의 길이는 몇 m일까요?

④ 두 도시 사이의 거리는 8480 m입니다. 두 도시 사이의 거리는 몇 km 몇 m일까요?

알맞은 길이를 골라 밑줄 친 곳에 써넣으세요.

3 mm	3 m	3 km

⑤ 유나는 멀리뛰기를 약 ____________ 를 뛰었습니다.

⑥ 유나는 한 시간 동안 약 ____________ 를 걸었습니다.

⑦ 유나의 머리카락이 약 ____________ 자랐습니다.

다음 물음에 답하세요.

⑧ 딱풀의 길이는 8 cm 4 mm, 크레파스의 길이는 81 mm입니다. 딱풀과 크레파스 중 더 짧은 것은 무엇일까요?

____

⑨ 승혜는 어제 3 km 400 m를 걸었고, 오늘 2880 m를 걸었습니다. 어제와 오늘 중 더 긴 거리를 걸은 날은 언제일까요?

____

확인학습

알맞은 식을 쓰고 답을 구하세요.

⑩ 공원 한 바퀴의 길이는 1 km 300 m이고, 공원에서 집까지의 거리는 2 km 700 m입니다. 공원을 한 바퀴 돌고 집까지 가는 거리는 몇 km 몇 m일까요?

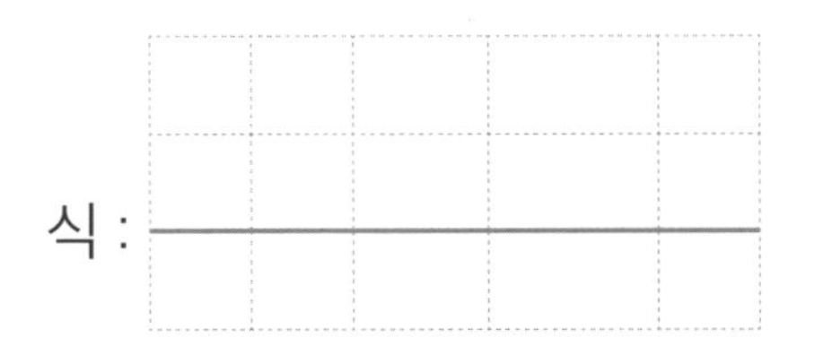

식 : 　　　　답 :

⑪ 목을 숨긴 거북이의 몸 길이는 8 cm 4 mm입니다. 거북이가 목을 늘리면 몸 길이가 4 cm 7 mm 늘어난다고 할 때, 목을 늘린 거북이의 몸 길이는 몇 cm 몇 mm가 될까요?

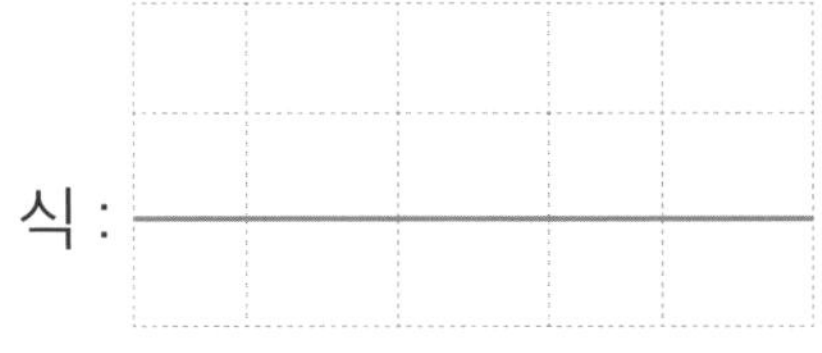

식 : 　　　　답 :

⑫ 지웅이가 산을 올라갈 때는 거리가 2 km 210 m인 길로 올라갔고, 내려올 때는 거리가 2 km 940 m인 길로 내려왔습니다. 지웅이가 산 정상까지 왕복한 거리는 몇 km 몇 m일까요?

식 : 　　　　답 :

2주차

시간

1일 초

밑줄 친 곳에 알맞은 수를 써넣으세요.

5분은 ___300___ 초입니다.

1분 = 60초 → 5분 = 60 × 5 = 300(초)

① 3분은 ________ 초입니다.

② 420초는 ______ 분입니다.

③ 1분 30초는 ________ 초입니다.

④ 4분 52초는 ________ 초입니다.

⑤ 200초는 ______ 분 ________ 초입니다.

⑥ 385초는 ______ 분 ________ 초입니다.

다음 물음에 답하세요.

영준이가 학교 운동장을 한 바퀴 도는 데 걸린 시간은 4분입니다. 영준이가 운동장을 도는 데 걸린 시간은 몇 초일까요?

$60 \times 4 = 240$(초)

240초

① 모래가 다 떨어지는 데 360초가 걸리는 모래시계가 있습니다. 모래가 다 떨어지는 데 걸리는 시간은 몇 분일까요?

② 세람이는 물 속에서 85초 동안 숨을 참았습니다. 세람이가 숨을 참은 시간은 몇 분 몇 초일까요?

③ 컵라면을 전자레인지에 3분 30초 동안 돌렸습니다. 컵라면을 돌린 시간은 몇 초일까요?

④ 우상이네 강아지가 밥을 먹는 데 걸리는 시간은 255초입니다. 우상이네 강아지가 밥을 먹는 데 걸리는 시간은 몇 분 몇 초일까요?

2일 시간의 합과 차

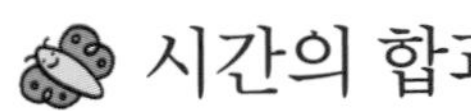 시간의 합과 차를 구하세요.

10분 30초와 8분 45초의 합은 몇 분 몇 초일까요?

식 :

	1 10	분	30	초
+	8	분	45	초
	19	분	15	초

30초 + 45초 = 75초 = 1분 15초

답 : 19분 15초

① 15분 20초와 6분 50초의 차는 몇 분 몇 초일까요?

식 : 

답 :

② 2시간 35분과 3시간 45분의 합은 몇 시간 몇 분일까요?

식 : 

답 :

알맞은 식을 쓰고 답을 구하세요.

학습지 한 장을 푸는 데 걸린 시간은 원희가 4분 33초, 은정이가 6분 17초였습니다. 은정이가 학습지 한 장을 푸는 데 걸린 시간은 원희보다 몇 분 몇 초 더 걸렸을까요?

식 :

	5		60	
	~~6~~	분	17	초
-	4	분	33	초
	1	분	44	초

60초 + 17초 - 33초 = 44초

답 : 1분 44초

① 하연이가 수학 공부를 한 시간은 2시간 15분이고, 영어 공부를 한 시간은 1시간 48분입니다. 수학 공부를 한 시간은 영어 공부를 한 시간보다 몇 시간 몇 분 더 길까요?

식 : 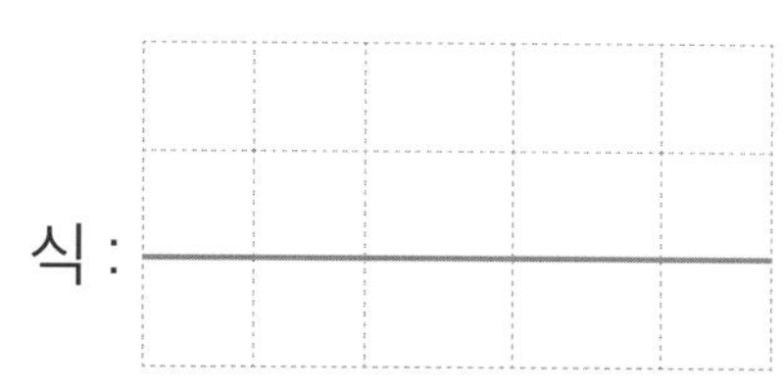

답 : ____________________

② 수진이는 아침에 일어나서 3분 40초 동안 양치를 하고, 8분 45초 동안 세수를 했습니다. 수진이가 양치와 세수를 하는 데 걸린 시간은 몇 분 몇 초일까요?

식 : 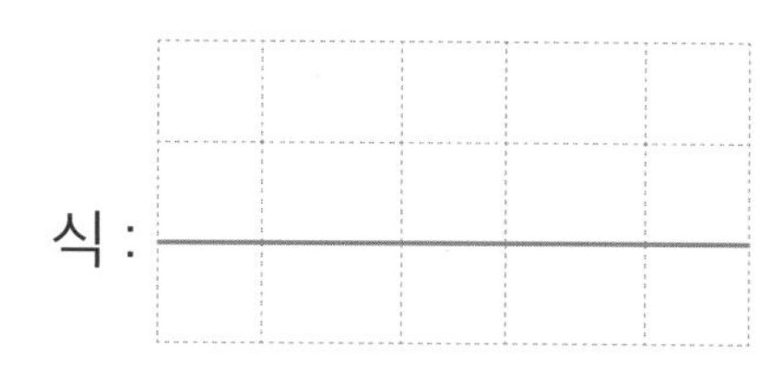

답 : ____________________

3일 (시각)+(시간)=(시각)

알맞은 식을 쓰고 시각을 구하세요.

오전 6시 45분 30초에서 2시간 8분 50초 후의 시각은 오전 몇 시 몇 분 몇 초일까요?

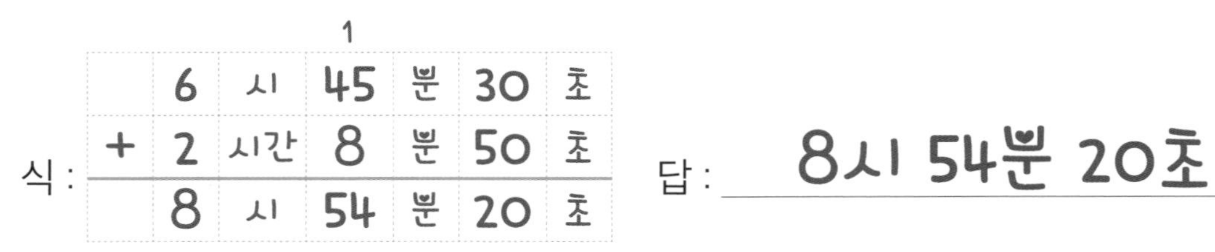

식 :

답 : 8시 54분 20초

① 오전 4시 38분에서 5시간 36분 30초 후의 시각은 오전 몇 시 몇 분 몇 초일까요?

식 :

답 :

② 오후 1시 7분 45초에서 3시간 28분 20초 후의 시각은 오후 몇 시 몇 분 몇 초일까요?

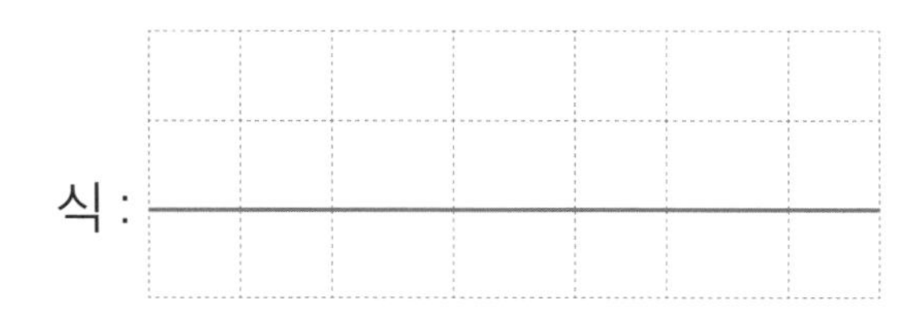

식 :

답 :

알맞은 식을 쓰고 답을 구하세요.

수연이는 오후 3시 50분에 영화를 보기 시작해서 2시간 15분 30초 동안 영화를 보았습니다. 영화가 끝난 시각은 오후 몇 시 몇 분 몇 초일까요?

식 :

	1 3	시	50	분		
+	2	시간	15	분	30	초
	6	시	5	분	30	초

50분 + 15분 = 65분 = 1시간 5분

답 : 6시 5분 30초

① 연아는 오후 2시 17분 35초에 집을 나서서 산책을 1시간 35분 45초 동안 하고 돌아왔습니다. 연아가 집에 돌아온 시각은 오후 몇 시 몇 분 몇 초일까요?

식 :

답 :

② 마라톤 선수가 오전 9시 13분 10초에 출발하여 2시간 17분 50초를 달려 골인 지점에 도착하였습니다. 이 선수가 골인 지점에 도착한 시각은 오전 몇 시 몇 분 몇 초일까요?

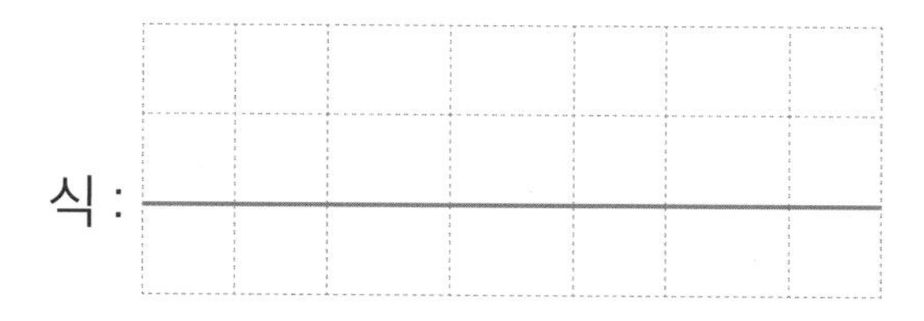

식 :

답 :

두 시각 사이의 시간을 구하세요.

오전 7시 45분 30초부터 오전 10시 15분 45초까지의 시간은 몇 시간 몇 분 몇 초일까요?

식 :

	9 ~~10~~	시	15	분	45	초
-	7	시	45	분	30	초
	2	시간	30	분	15	초

60분 + 15분 - 45분 = 30분

답 : 2시간 30분 15초

① 오후 2시 42분 15초부터 오후 4시 58분까지의 시간은 몇 시간 몇 분 몇 초일까요?

식 : 

답 :

② 오전 3시 10분 45초부터 오전 9시 5분 15초까지의 시간은 몇 시간 몇 분 몇 초일까요?

식 : 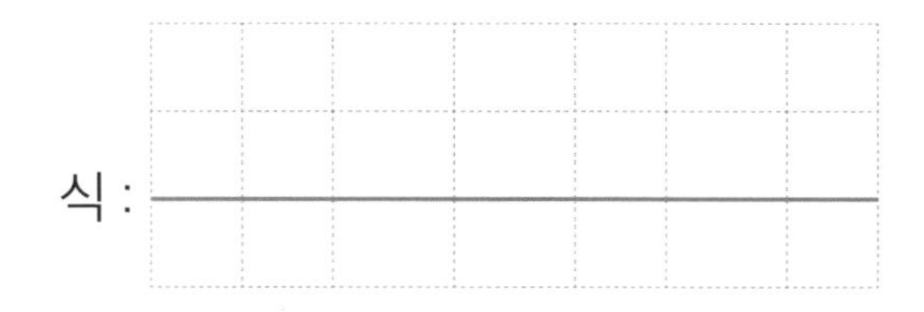

답 :

 알맞은 식을 쓰고 답을 구하세요.

지후는 숙제를 오후 4시 32분에 시작해서 오후 6시 10분 30초에 끝냈습니다. 지후가 숙제를 하는 데 걸린 시간은 몇 시간 몇 분 몇 초일까요?

식 :

	5 ~~6~~	시	10	분	30	초
−	4	시	32	분		
	1	시간	38	분	30	초

60분 + 10분 − 32분 = 38분

답 : 1시간 38분 30초

① 도연이가 집에서 오후 2시 20분 40초에 출발해서 민지네 집에 오후 3시 35분에 도착했습니다. 도연이가 민지네 집까지 가는 데 걸린 시간은 몇 시간 몇 분 몇 초일까요?

식 :

답 :

② 예진이는 오전 1시 5분 15초에 잠들어서 오전 8시 11분에 잠을 깼습니다. 예진이가 잠을 잔 시간은 몇 시간 몇 분 몇 초일까요?

식 :

답 :

5일 (시각)-(시간)=(시각)

알맞은 식을 쓰고 시각을 구하세요.

오후 10시 30분 10초에서 2시간 12분 55초 전의 시각은 오후 몇 시 몇 분 몇 초일까요?

식 :

			29		60	
	10	시	30	분	10	초
-	2	시간	12	분	55	초
	8	시	17	분	15	초

60초 + 10초 - 55초 = 15초

답 : 8시 17분 15초

① 오전 4시 정각에서 1시간 48분 45초 전의 시각은 오전 몇 시 몇 분 몇 초일까요?

식 :

답 :

② 오후 7시 13분 35초에서 2시간 17분 15초 전의 시각은 오후 몇 시 몇 분 몇 초일까요?

식 :

답 :

알맞은 식을 쓰고 답을 구하세요.

서울에서 경주로 가는 버스가 3시간 45분을 달려서 경주에 오후 5시 7분 50초에 도착하였습니다. 버스가 서울에서 출발한 시각은 오후 몇 시 몇 분 몇 초일까요?

식 :

	4		60			
	~~5~~	시	7	분	50	초
−	3	시간	45	분		
	1	시	22	분	50	초

60분 + 7분 − 45분 = 22분

답 : 1시 22분 50초

① 창석이는 텔레비전을 1시간 25분 20초 동안 보고 오전 10시 5분에 텔레비전을 껐습니다. 창석이가 텔레비전을 보기 시작한 시각은 오전 몇 시 몇 분 몇 초일까요?

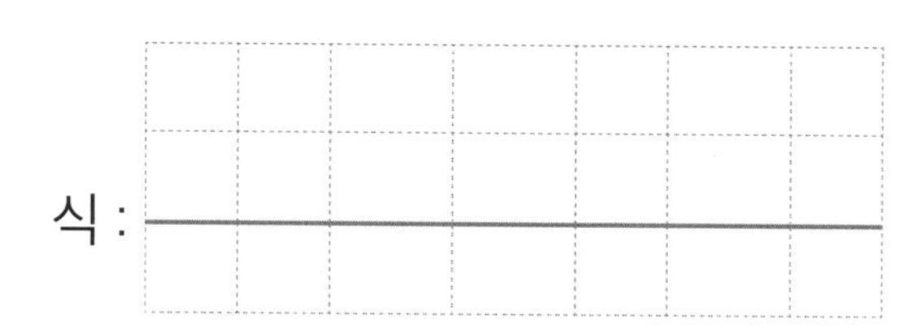

식 :

답 :

② 4시간 6분 15초 동안 작동하는 음악 분수가 오후 8시 36분 15초에 꺼졌습니다. 음악 분수가 시작된 시각은 오후 몇 시 몇 분 몇 초일까요?

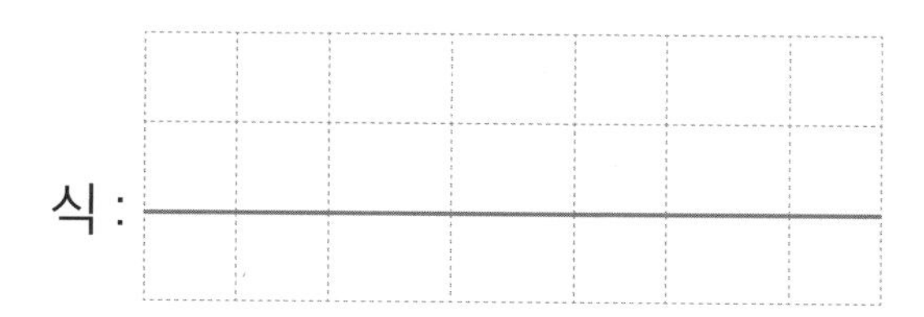

식 :

답 :

확인학습

밑줄 친 곳에 알맞은 수를 써넣으세요.

① 120초는 ______ 분입니다.

② 3분 30초는 ______ 초입니다.

③ 275초는 ______ 분 ______ 초입니다.

다음 물음에 답하세요.

④ 기현이가 자전거로 공원을 한 바퀴 도는 데 걸린 시간은 525초였습니다. 기현이가 공원을 도는 데 걸린 시간은 몇 분 몇 초일까요?

______

⑤ 빌딩 꼭대기에서 1층까지 엘리베이터가 내려오는 데 걸리는 시간은 1분 55초입니다. 엘리베이터가 내려오는 데 걸리는 시간은 몇 초일까요?

______

알맞은 식을 쓰고 답을 구하세요.

⑥ 오후 5시 58분 10초에서 5시간 11분 50초 후의 시각은 오후 몇 시 몇 분 몇 초일까요?

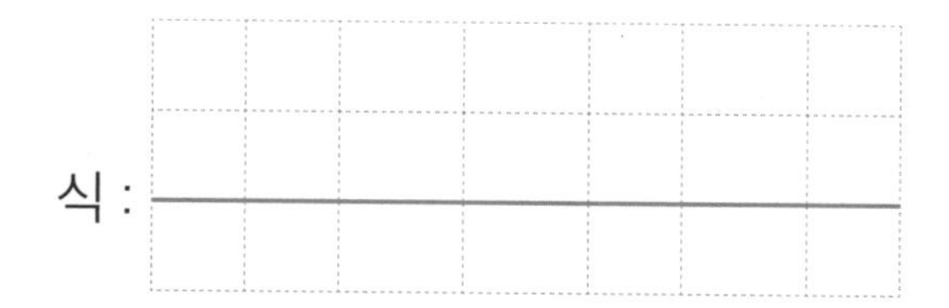

식 :

답 :

⑦ 오후 6시 55분부터 오후 11시 37분 10초까지의 시간은 몇 시간 몇 분 몇 초일까요?

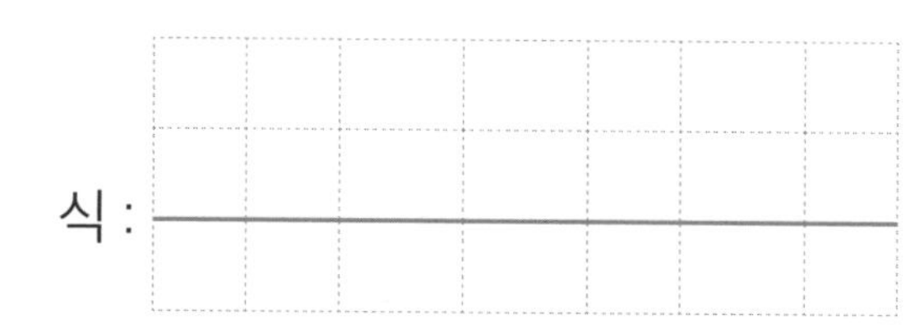

식 :

답 :

⑧ 오전 11시 55분 25초에서 8시간 13분 40초 전의 시각은 오전 몇 시 몇 분 몇 초일까요?

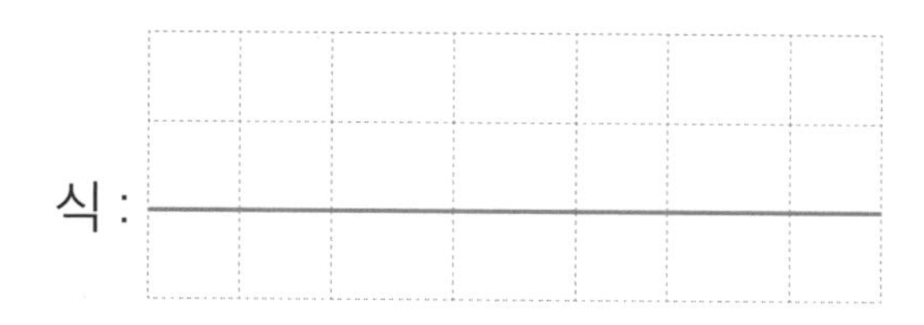

식 :

답 :

확인학습

✎ 알맞은 식을 쓰고 답을 구하세요.

⑨ 기차가 대전에서 오전 7시 16분에 출발하여 2시간 7분 25초만에 부산에 도착하였습니다. 기차가 부산에 도착한 시각은 오전 몇 시 몇 분 몇 초일까요?

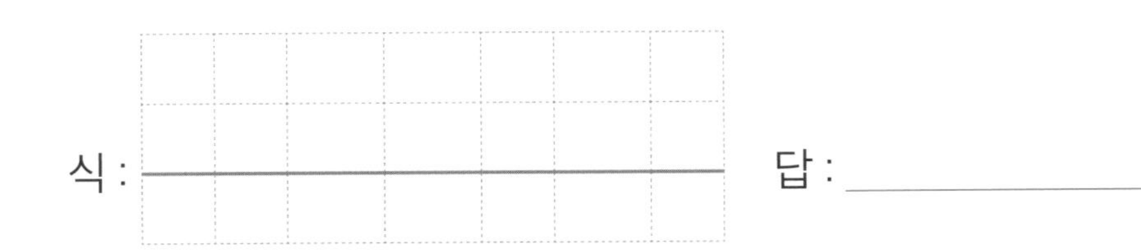

식 : ______________________ 답 : ______________________

⑩ 혁오는 자전거를 타고 집에서 오전 7시 17분 55초에 출발하여 도서관에 오전 9시 정각에 도착하였습니다. 혁오가 집에서 도서관까지 가는 데 걸린 시간은 몇 시간 몇 분 몇 초일까요?

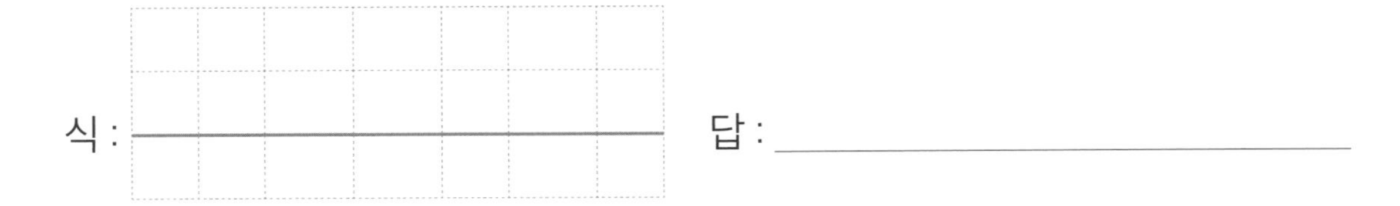

식 : ______________________ 답 : ______________________

⑪ 영우가 봉사 활동을 2시간 30분 동안 하고 난 후 시계를 보니 오후 6시 5분 40초였습니다. 영우가 봉사 활동을 시작한 시각은 오후 몇 시 몇 분 몇 초일까요?

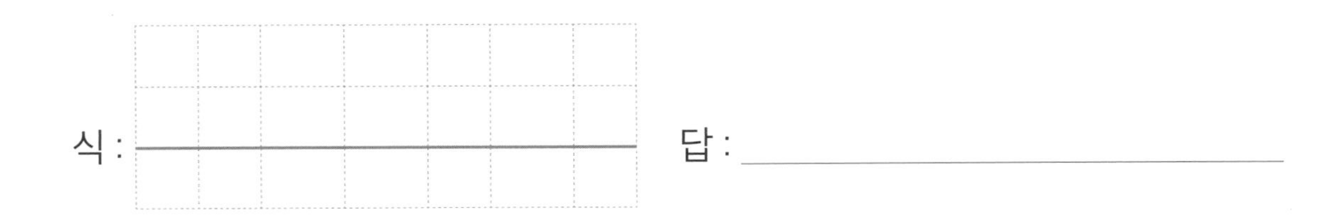

식 : ______________________ 답 : ______________________

3주차

들이

1일 리터와 밀리리터

❀ 밑줄 친 곳에 알맞은 수를 써넣으세요.

2 L는 ___2000___ mL입니다.

1 L = 1000 mL → 2 L = 1000 × 2 = 2000 (mL)

① 4 L는 ________ mL입니다.

② 6000 mL는 ______ L입니다.

③ 5 L 200 mL는 ________ mL입니다.

④ 2400 mL는 ______ L ________ mL입니다.

⑤ 6 L보다 750 mL 더 큰 들이는 ______ L ________ mL입니다.

⑥ 3 L보다 215 mL 더 큰 들이는 ________ mL입니다.

다음 물음에 답하세요.

주전자의 들이는 1 L보다 250 mL 더 큽니다. 주전자의 들이는 몇 L 몇 mL일까요?

1 L 250 mL

① 냄비의 들이는 3 L입니다. 냄비의 들이는 몇 mL일까요?

② 생수통의 들이는 3500 mL입니다. 생수통의 들이는 몇 L 몇 mL일까요?

③ 성재네 가족은 하루에 물을 4 L 480 mL 마십니다. 성재네 가족이 하루에 먹는 물의 양은 몇 mL일까요?

④ 주하는 200 mL 들이 컵으로 냄비에 물을 9번 부었습니다. 주하가 냄비에 부은 물은 몇 L 몇 mL일까요?

2일 들이 어림

밑줄 친 곳에 mL 또는 L를 써넣으세요.

욕조에 물이 약 50 __L__ 들어 있습니다.

물 50 mL로 몸을 씻을 수 없어.

① 우유가 한 팩에 250 ______ 들어 있습니다.

② 자동차에 휘발유 30 ______ 를 넣었습니다.

③ 준서가 감기약 15 ______ 를 마셨습니다.

④ 냄비에 물을 600 ______ 부었습니다.

⑤ 냉장고의 용량은 725 ______ 입니다.

⑥ 마트에서 간장 2 ______ 를 샀습니다.

알맞은 들이를 골라 밑줄 친 곳에 써넣으세요.

2 mL	200 mL	2 L

20 L	2000 L

눈물 한 방울은 약 ___2 mL___ 입니다.

① 소방차에 물이 약 ________ 들어 있습니다.

② 컵의 들이는 ________ 입니다.

③ 하루에 물을 ________ 마셔야 합니다.

④ 양동이에 물을 약 ________ 받았습니다.

3일 들이 비교

다음 물음에 답하세요.

간장이 2 L 500 mL 있고, 식용유가 2550 mL 있습니다. 간장과 식용유 중 더 많은 것은 무엇일까요?

2 L 500 mL = 2500 mL

2500 < 2550

식용유

① 지후는 어제 물을 1250 mL 마셨고, 오늘은 1 L 330 mL 마셨습니다. 어제와 오늘 중 물을 더 적게 마신 날은 언제일까요?

② 금붕어 어항에 물이 3400 mL 들어 있고, 열대어 어항에 물이 4 L 50 mL 들어 있습니다. 물이 더 많은 어항은 어느 것일까요?

③ 초록색 유리병의 들이는 2 L 400 mL이고, 파란색 유리병의 들이는 2250 mL입니다. 둘 중 들이가 더 적은 유리병은 무슨 색깔일까요?

④ 마트에서 주스 5 L와 우유 4850 mL를 샀습니다. 주스와 우유 중 더 많이 산 것은 무엇일까요?

다음 물음에 답하세요.

병 가, 나, 다에 음료수가 각각 2260 mL, 1 L 850 mL, 1980 mL 들어 있습니다. 세 병 중 물이 가장 많이 들어 있는 것은 어느 병일까요?

2260 > 1980 > 1850

가 > 다 > 나

가

① 식당에 국간장이 4025 mL, 식초가 3 L 460 mL, 물엿이 3655 mL 있습니다. 셋 중 식당에 가장 적게 있는 것은 무엇일까요?

② 현지의 생일 파티에 우유 2 L 500 mL, 주스 4300 mL, 차 3 L 900 mL를 준비했습니다. 가장 많이 준비한 음료는 무엇일까요?

③ 양동이에 준희는 물을 7 L 980 mL 부었고, 양수는 물을 8415 mL 부었고, 준헌이는 물을 8L 70mL 부었습니다. 셋 중 물을 가장 적게 부은 사람은 누구일까요?

들이의 합

알맞은 식을 쓰고 답을 구하세요.

1 L 300 mL의 물이 들어 있는 냄비에 물 800 mL를 더 부었습니다. 냄비에 들어 있는 물은 모두 몇 L 몇 mL일까요?

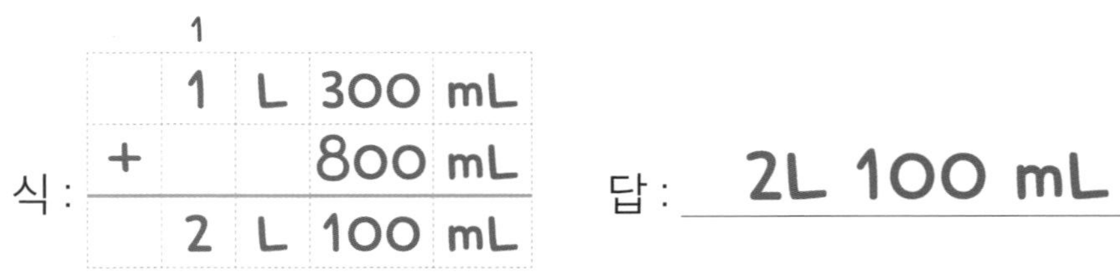

식 : 답 : 2L 100 mL

① 고은이는 어제 물 1 L 330 mL를 마셨고, 오늘 물 1 L 280 mL를 마셨습니다. 고은이가 이틀 동안 마신 물은 몇 L 몇 mL일까요?

식 : 답 :

② 마트에서 우유 1 L 650 mL 들이 우유를 2팩 샀습니다. 마트에서 산 우유는 모두 몇 L 몇 mL일까요?

식 : 답 :

밀리리터의 합이
1000보다 크면 1리터를
받아올림 해.

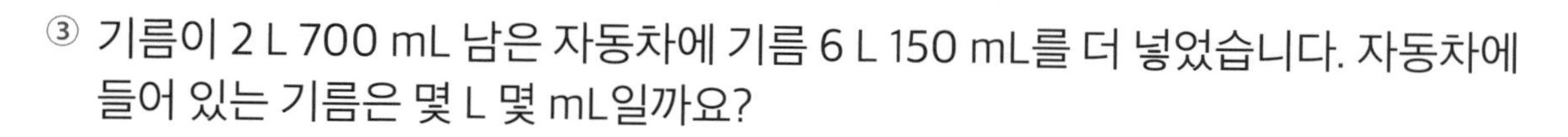

③ 기름이 2 L 700 mL 남은 자동차에 기름 6 L 150 mL를 더 넣었습니다. 자동차에 들어 있는 기름은 몇 L 몇 mL일까요?

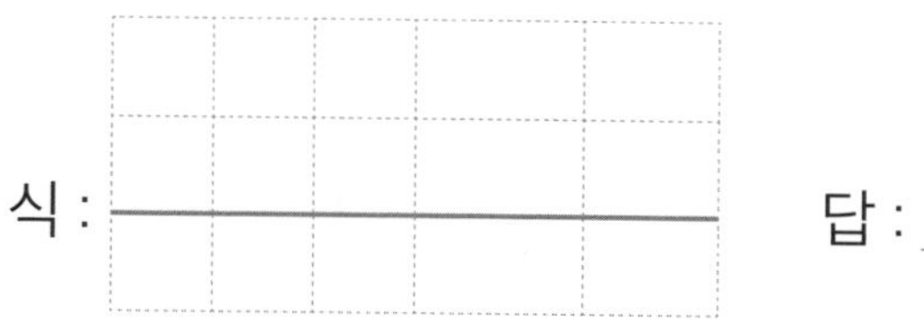

식 : 답 :

④ 냉장고에 주스가 2 L 280 mL 있고, 물은 주스보다 4 L 850 mL 더 많습니다. 냉장고에 있는 물은 몇 L 몇 mL일까요?

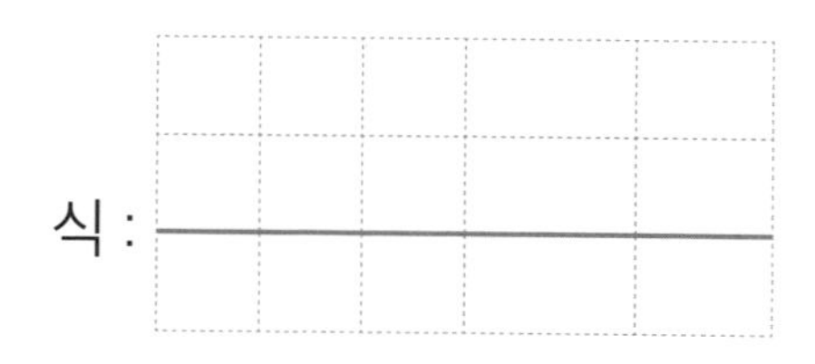

식 : 답 :

⑤ 빨간색 페인트 4 L 50 mL와 파란색 페인트 4 L 600 mL를 섞어서 보라색 페인트를 만들었습니다. 보라색 페인트는 모두 몇 L 몇 mL일까요?

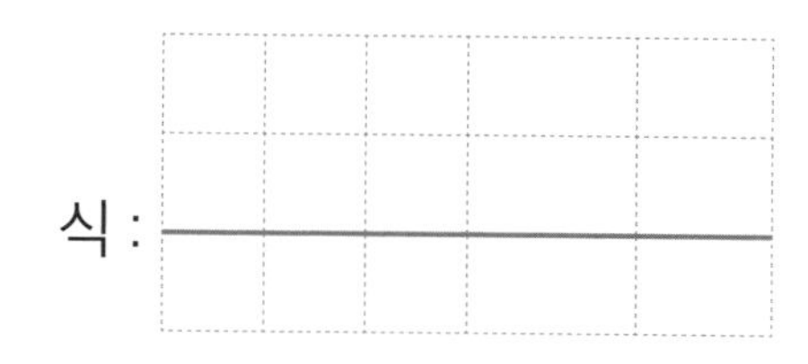

식 : 답 :

5일 들이의 차

알맞은 식을 쓰고 답을 구하세요.

마트에서 우유 3 L 100 mL와 주스 1 L 700 mL를 샀습니다. 우유는 주스보다 몇 L 몇 mL를 더 샀을까요?

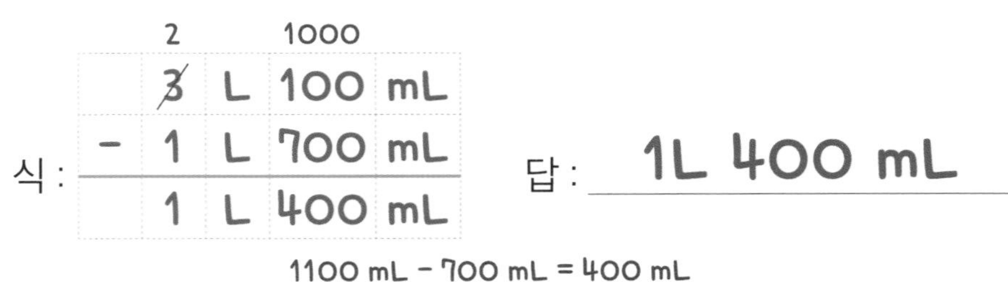

식 :

답 : 1L 400 mL

① 약수터에서 수호는 물 5 L 170 mL를 받았고, 정국이는 수호보다 물 3 L 450 mL를 더 적게 받았습니다. 정국이가 받은 물은 몇 L 몇 mL일까요?

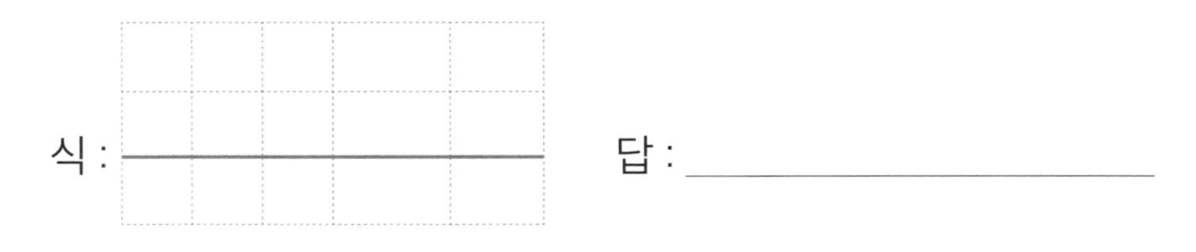

식 :

답 :

② 냉장고에 음료수 4 L가 있었는데 그 중 1 L 280 mL를 마셨습니다. 냉장고에 남은 음료수는 몇 L 몇 mL일까요?

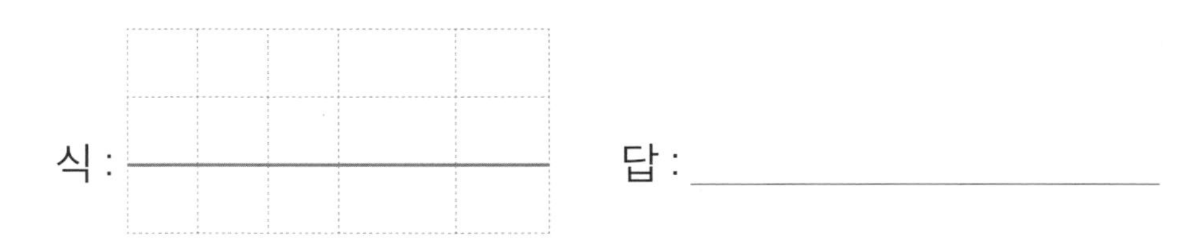

식 :

답 :

밀리리터를 뺄 수 없으면 리터에서 1000을 받아내림 해야 해.

③ 지훈이의 생일 파티에서 친구들이 주스 3 L 360 mL를, 식혜 2 L 520 mL를 마셨습니다. 친구들이 마신 주스는 식혜보다 몇 L 몇 mL 더 많을까요?

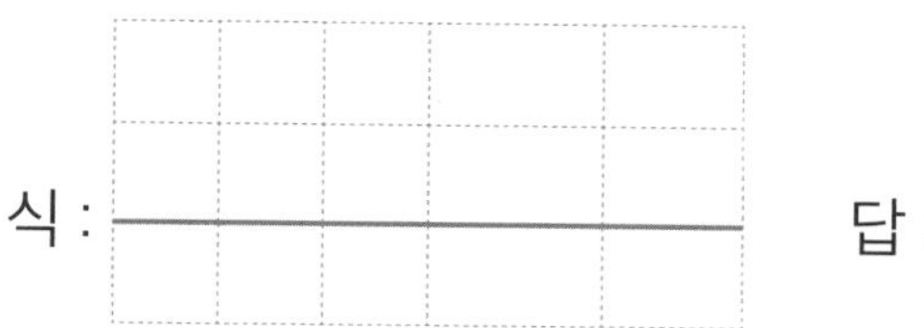

식 : 답 :

④ 물 5 L 450mL가 수조에 들어 있었는데 들이가 2 L 250 mL인 물병이 가득 차도록 한 번 퍼내었습니다. 남은 물은 몇 L 몇 mL일까요?

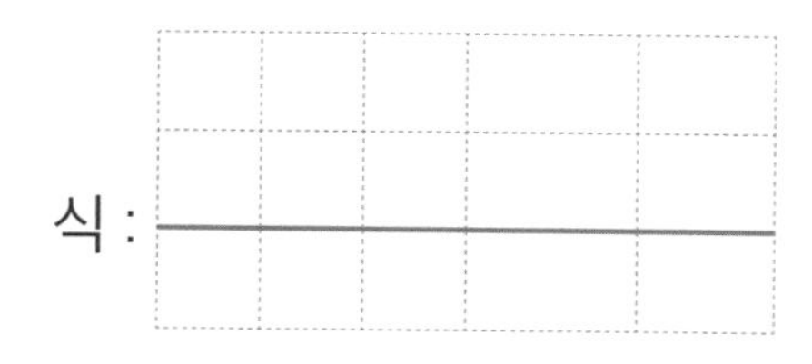

식 : 답 :

⑤ 영주네 집에는 간장이 8 L 830 mL, 식초가 3 L 650 mL 있습니다. 영주네 집에 있는 간장은 식초보다 몇 L 몇 mL 더 많을까요?

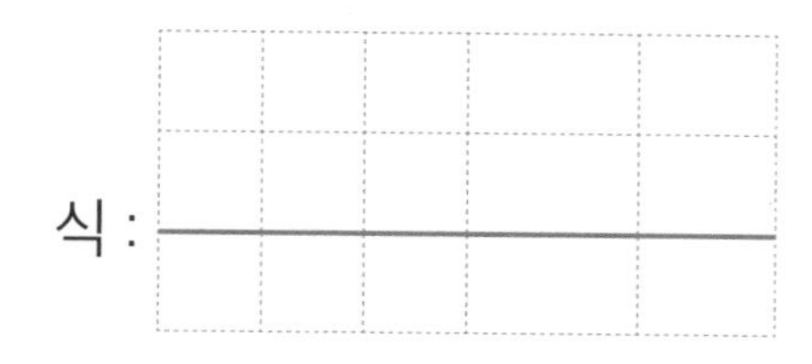

식 : 답 :

확인학습

다음 물음에 답하세요.

① 밥솥의 들이는 4500 mL입니다. 밥솥의 들이는 몇 L 몇 mL일까요?

____

② 양동이에 8430 mL의 물이 들어 있습니다. 양동이에 들어 있는 물은 몇 L 몇 mL 일까요?

____

다음 물음에 답하세요.

③ 자동차가 월요일에 쓴 기름은 6880 mL였고, 화요일에 쓴 기름은 6 L 690 mL였습니다. 기름을 더 적게 쓴 날은 무슨 요일일까요?

____

④ 물을 동엽이는 1 L 440 mL 마셨고, 현서는 1500 mL 마셨습니다. 둘 중 물을 더 많이 마신 사람은 누구일까요?

____

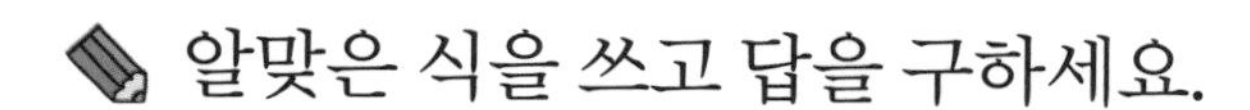

알맞은 식을 쓰고 답을 구하세요.

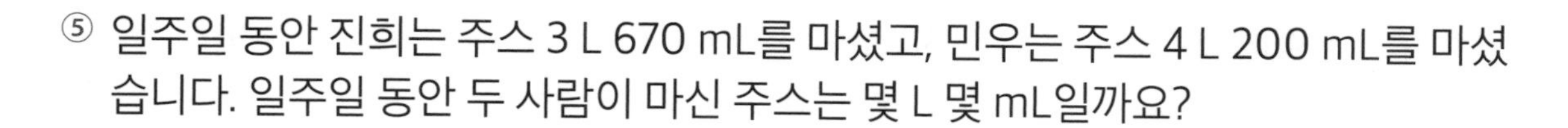

⑤ 일주일 동안 진희는 주스 3 L 670 mL를 마셨고, 민우는 주스 4 L 200 mL를 마셨습니다. 일주일 동안 두 사람이 마신 주스는 몇 L 몇 mL일까요?

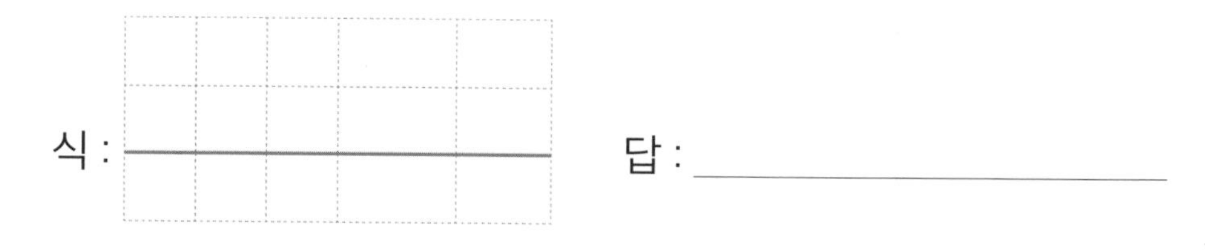

식 :

답 :

⑥ 물 4 L 390 mL 들어 있는 수조에 물을 750 mL 더 넣었습니다. 수조에 있는 물은 몇 L 몇 mL일까요?

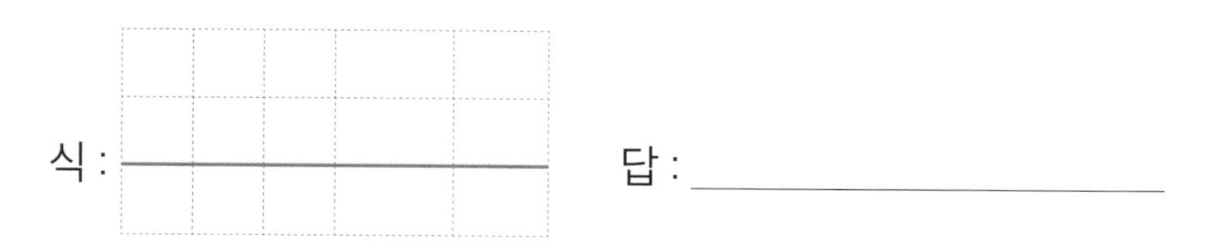

식 :

답 :

⑦ 냉장고에 우유가 1 L 250 mL 있었는데 우유 3 L 750 mL를 더 사서 넣었습니다. 냉장고에 있는 우유는 몇 L 몇 mL일까요?

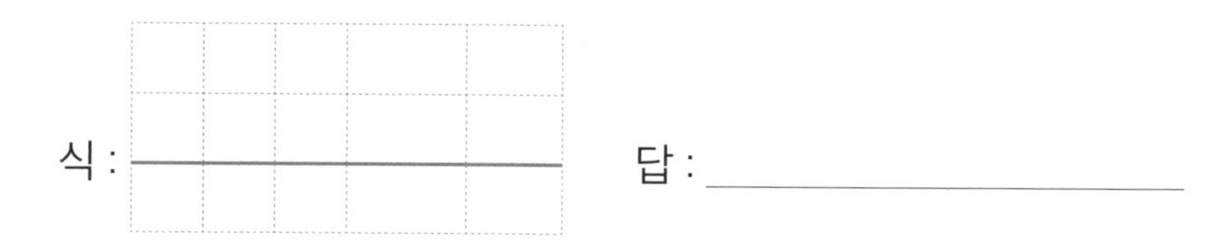

식 :

답 :

확인학습

알맞은 식을 쓰고 답을 구하세요.

⑧ 현수의 엄마가 양배추즙 7 L 500 mL를 주문해서 그 중 3 L 750 mL를 이모에게 나누어 주었습니다. 남은 양배추즙은 몇 L 몇 mL일까요?

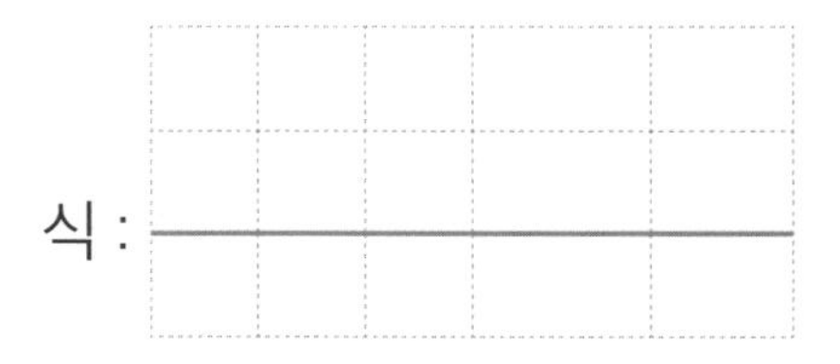

식 : ______ 답 : ______

⑨ 현종이는 수조에 물을 7 L 490 mL 부었고, 찬헌이는 물을 4 L 230 mL 부었습니다. 현종이는 찬헌이보다 물을 몇 L 몇 mL 더 부었을까요?

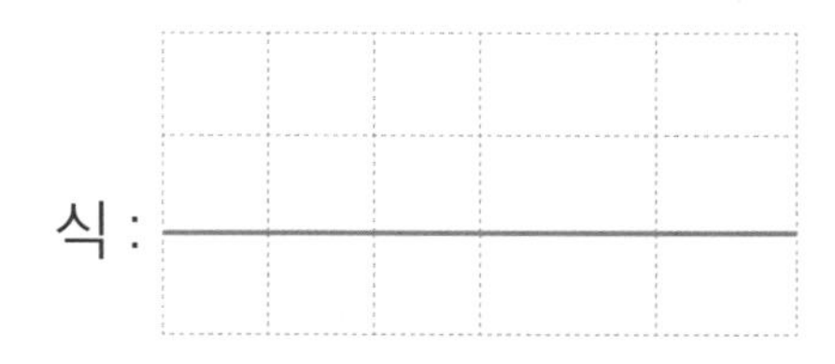

식 : ______ 답 : ______

⑩ 예진이는 어제 물을 2 L 150 mL 마셨고, 오늘은 어제보다 630 mL 더 적게 마셨습니다. 예진이가 오늘 마신 물은 몇 L 몇 mL일까요?

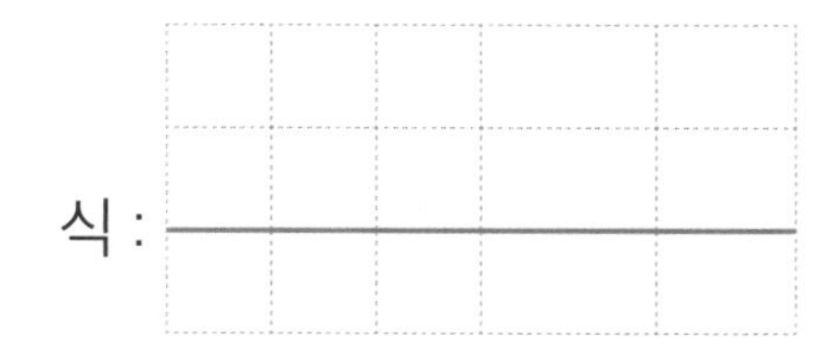

식 : ______ 답 : ______

4주차

무게

1일 그램, 킬로그램, 톤

밑줄 친 곳에 알맞은 수를 써넣으세요.

3 kg은 ___3000___ g입니다.

1 kg = 1000 g → 3 kg = 1000 × 3 = 3000 (g)

① 2 kg은 ________ g입니다.

② 5000 g은 ______ kg입니다.

③ 1 kg 200 g은 ________ g입니다.

④ 4250 g은 ______ kg ________ g입니다.

⑤ 6 t은 ________ kg입니다.

⑥ 2900 kg은 ______ t ________ kg입니다.

다음 물음에 답하세요.

귤 한 상자의 무게는 2 kg 보다 500 g 더 무겁습니다. 귤 한 상자의 무게는 몇 kg 몇 g일까요?

2 kg 500 g

① 아령의 무게는 5 kg입니다. 아령의 무게는 몇 g일까요?

② 책의 무게는 1740 g입니다. 책의 무게는 몇 kg 몇 g일까요?

③ 코끼리의 무게는 3 t입니다. 코끼리의 무게는 몇 kg일까요?

④ 민진이는 몸무게를 3250 g 줄였습니다. 민진이가 줄인 몸무게는 몇 kg 몇 g일까요?

2일 무게 어림

밑줄 친 곳에 g, kg 또는 t을 써넣으세요.

수박 한 통의 무게는 약 15 kg 입니다.

15 t짜리 수박이 있다면 얼마나 좋을까?

① 클립 1개의 무게는 약 2 ______ 입니다.

② 코끼리 한 마리의 무게는 약 3 ______ 입니다.

③ 책 한 권의 무게는 약 800 ______ 입니다.

④ 하균이의 몸무게는 약 45 ______ 입니다.

⑤ 자동차의 무게는 약 2 ______ 입니다.

⑥ 축구공의 무게는 약 450 ______ 입니다.

알맞은 무게를 골라 밑줄 친 곳에 써넣으세요.

4 g	400 g	40 kg
400 kg	4 t	

피아노의 무게는 약 400 kg 입니다.

① 감자 한 개의 무게는 약 ______ 입니다.

② 트럭의 무게는 약 ______ 입니다.

③ 효진이의 몸무게는 약 ______ 입니다.

④ 바둑돌 한 개의 무게는 약 ______ 입니다.

다음 물음에 답하세요.

우혁이의 책가방 무게는 2 kg 200 g이고, 장훈이의 책가방 무게는 2130 g입니다. 둘 중 책가방이 더 가벼운 사람은 누구일까요?

장훈

2kg 200 g = 2200 g

2200 (>) 2130

① 냉장고에 방울토마토 1800 g과 참외 1 kg 950 g이 있습니다. 방울토마토와 참외 중 냉장고에 더 많은 것은 무엇일까요?

② 마트에서 쌀 5 kg 500 g 과 잡곡 6250 g을 샀습니다. 쌀과 잡곡 중 더 많이 산 것은 무엇일까요?

③ 재활용품을 주희는 8450 g, 미란이는 8 kg 600 g 모았습니다. 둘 중 재활용품을 더 적게 모은 사람은 누구일까요?

④ 코뿔소의 무게는 1 t 850 kg, 하마의 무게는 1600 kg입니다. 코뿔소와 하마 중 더 무거운 동물은 무엇일까요?

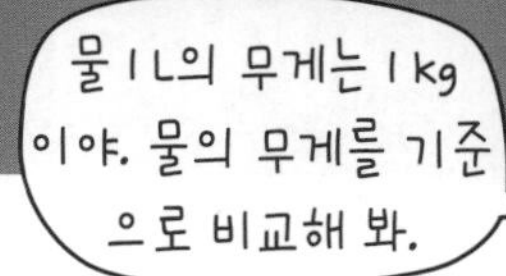

다음 물음에 답하세요.

마트에서 포도 1850 g, 참외 2 kg, 자두 1 kg 900 g을 샀습니다. 셋 중 가장 많이 산 것은 어느 것일까요?

2000 > 1900 > 1850
참외 > 자두 > 포도

참외

① 사과가 한 상자에 9 kg 150 g, 귤이 한 상자에 6800 g, 복숭아가 한 상자에 8570 g 들어 있습니다. 셋 중 한 상자에 가장 적게 들어 있는 과일은 무엇일까요?

② 지은이, 설현이, 광수가 각각 밤을 4270 g, 4 kg 150 g, 5180 g 땄습니다. 세 사람 중 밤을 가장 많이 딴 사람은 누구일까요?

③ 강아지의 무게는 4 kg 100 g이고, 고양이의 무게는 3 kg 240 g이고, 앵무새의 무게는 2850 g입니다. 세 동물 중 가장 가벼운 것은 무엇일까요?

4일 무게의 합

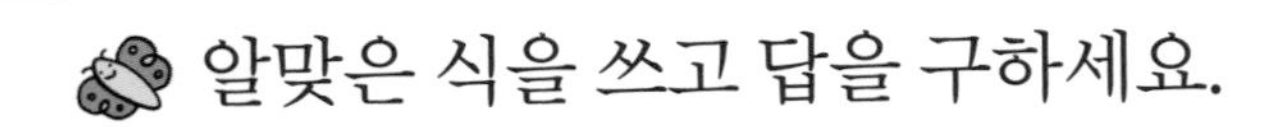

알맞은 식을 쓰고 답을 구하세요.

지원이네 집에는 쌀 3 kg 600 g과 잡곡 1 kg 500 g이 있습니다. 지원이네 집에 있는 쌀과 잡곡은 모두 몇 kg 몇 g일까요?

① 무 2 kg 780 g을 사서 무게가 370 g인 바구니에 넣었습니다. 무가 담긴 바구니의 무게는 몇 kg 몇 g일까요?

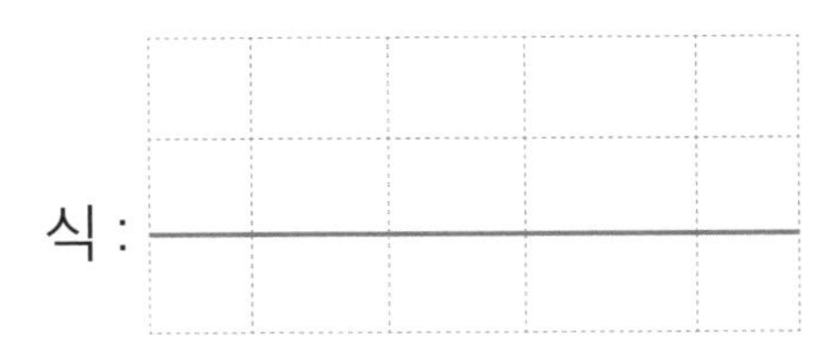

식 :

답 :

② 한 달 전 강아지의 몸무게는 4 kg 200 g이었는데 한 달 동안 2 kg 500 g이 더 늘었습니다. 강아지의 몸무게는 몇 kg 몇 g일까요?

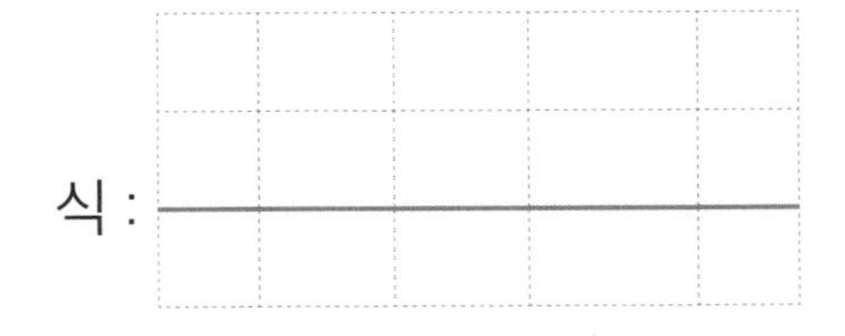

식 :

답 :

③ 슬기가 딴 사과는 8 kg 600 g이고, 동하는 슬기보다 사과를 4 kg 650 g 더 땄습니다. 동하가 딴 사과는 몇 kg 몇 g일까요?

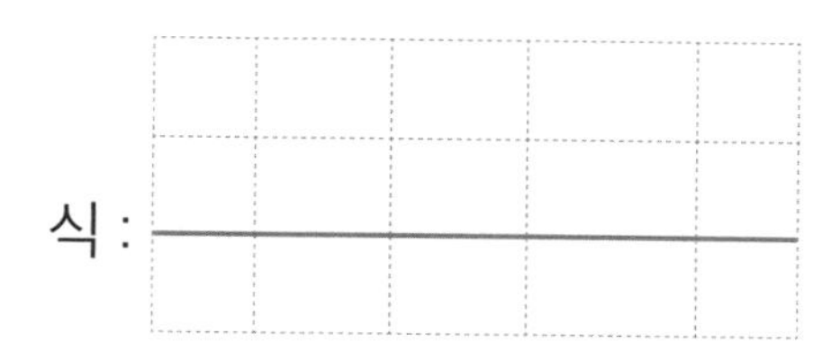

식 : ________________ 답 : ________________

④ 고구마가 한 상자에 7 kg 150 g 들어 있고, 감자가 한 상자에 9 kg 620 g 들어 있습니다. 고구마와 감자의 무게는 모두 몇 kg 몇 g일까요?

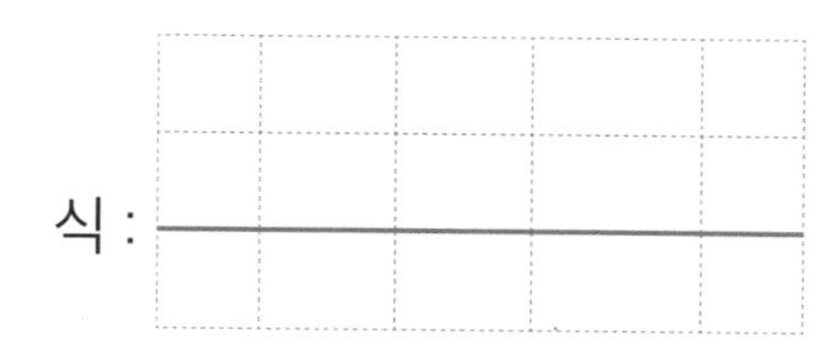

식 : ________________ 답 : ________________

⑤ 해민이의 책가방 무게는 5 kg 740 g이고, 상수의 책가방 무게는 4 kg 590 g입니다. 두 사람의 책가방 무게의 합은 몇 kg 몇 g일까요?

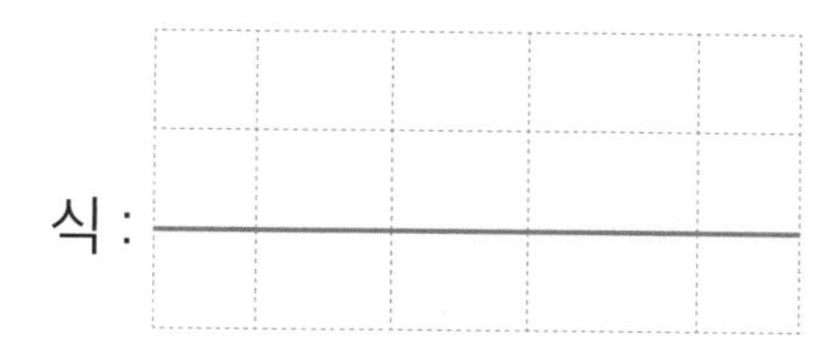

식 : ________________ 답 : ________________

5일 무게의 차

알맞은 식을 쓰고 답을 구하세요.

지현이의 몸무게는 35 kg이고, 연우의 몸무게는 지현이보다 2 kg 450 g 더 가볍습니다. 연우의 몸무게는 몇 kg 몇 g일까요?

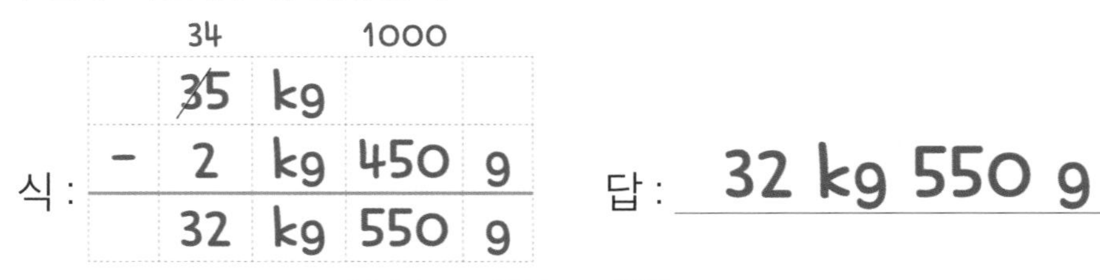

식 :

답 : 32 kg 550 g

① 하은이네 집에 쌀이 12 kg 520 g 있었는데 일주일 동안 쌀 4 kg을 먹었습니다. 하은이네 집에 남은 쌀은 몇 kg 몇 g일까요?

식 :

답 :

② 냉장고에 포도 4 kg 720 g과 토마토 2 kg 660 g이 있습니다. 냉장고에 있는 포도는 토마토보다 몇 kg 몇 g 더 많을까요?

식 :

답 :

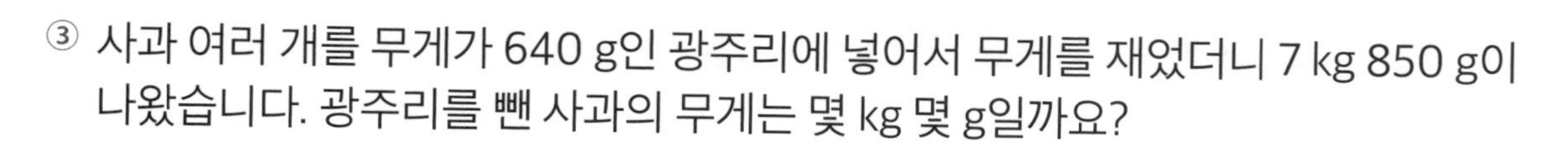

③ 사과 여러 개를 무게가 640 g인 광주리에 넣어서 무게를 재었더니 7 kg 850 g이 나왔습니다. 광주리를 뺀 사과의 무게는 몇 kg 몇 g일까요?

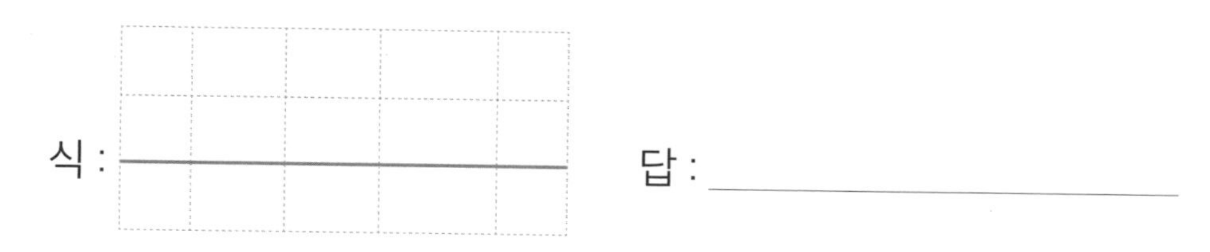

식 : 답 :

④ 수일이의 책가방 무게는 3 kg 350 g이고, 장호의 책가방 무게는 2 kg 650 g입니다. 수일이의 책가방은 장호의 책가방보다 몇 kg 몇 g 더 무거울까요?

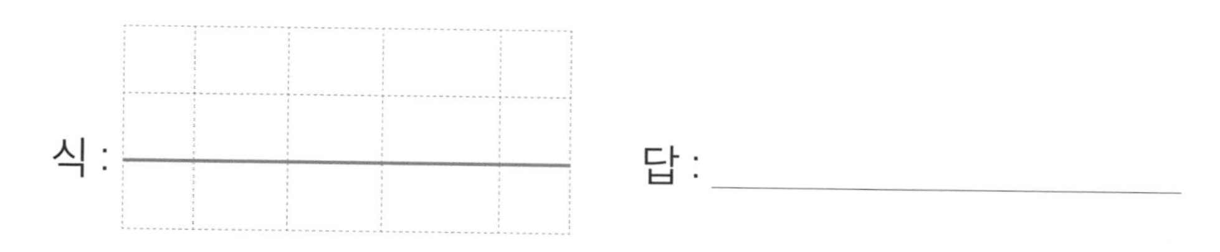

식 : 답 :

⑤ 10 kg까지 담을 수 있는 가방이 있습니다. 이 가방에 4 kg 480 g의 짐이 들어 있다면 몇 kg 몇 g을 더 담을 수 있을까요?

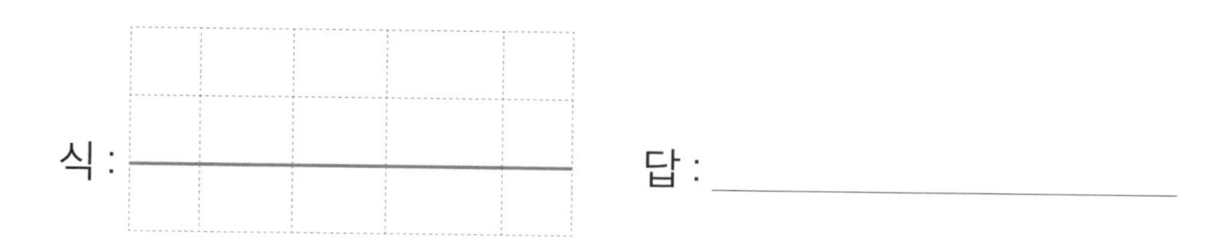

식 : 답 :

확인학습

다음 물음에 답하세요.

① 멜론 한 통의 무게는 4 kg 400 g입니다. 멜론 한 통의 무게는 몇 g일까요?

② 돼지고기 한 근의 무게는 600 g입니다. 돼지고기 6근은 몇 kg 몇 g일까요?

다음 물음에 답하세요.

③ 아빠가 사 온 수박의 무게는 7150 g이고, 엄마가 사 온 수박의 무게는 7 kg 310 g 입니다. 더 무거운 수박을 사 온 사람은 누구일까요?

④ 일주일 동안 수연이는 몸무게를 1 kg 420 g 줄였고, 민진이는 1510 g 줄였습니다. 두 사람 중 몸무게를 더 적게 줄인 사람은 누구일까요?

알맞은 식을 쓰고 답을 구하세요.

⑤ 마트에서 소금 2 kg 250 g과 설탕 3 kg 600 g을 샀습니다. 마트에서 산 소금과 설탕은 모두 몇 kg 몇 g일까요?

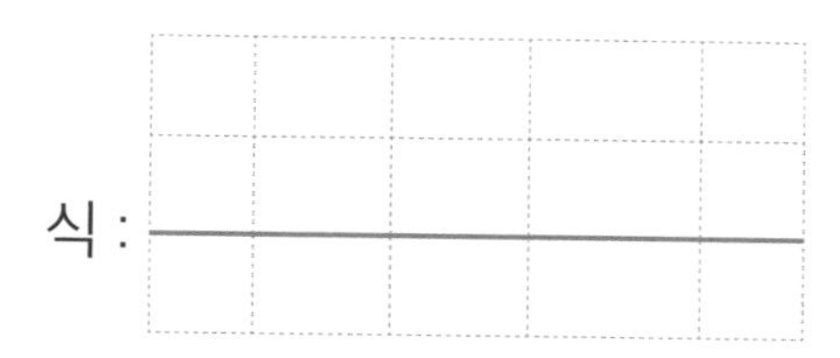

식 : 답 :

⑥ 고양이의 몸무게는 3 kg 150 g이고, 강아지는 고양이보다 2 kg 950 g 더 무겁습니다. 강아지의 몸무게는 몇 kg 몇 g일까요?

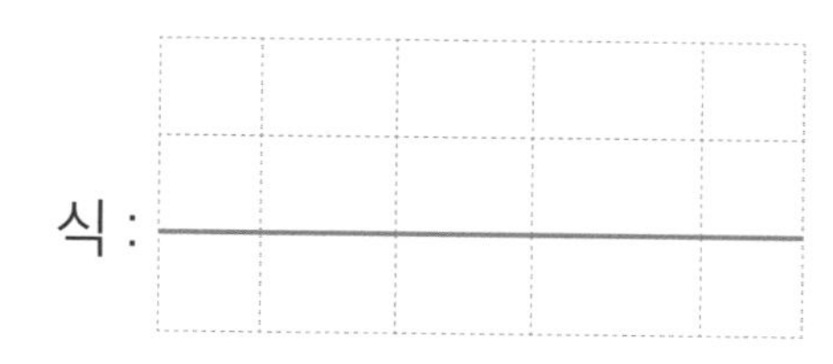

식 : 답 :

⑦ 일주일 전 소연이의 몸무게는 37kg 750g이었는데 일주일 동안 몸무게가 1kg 500g 늘어났습니다. 소연이의 몸무게는 몇 kg 몇 g일까요?

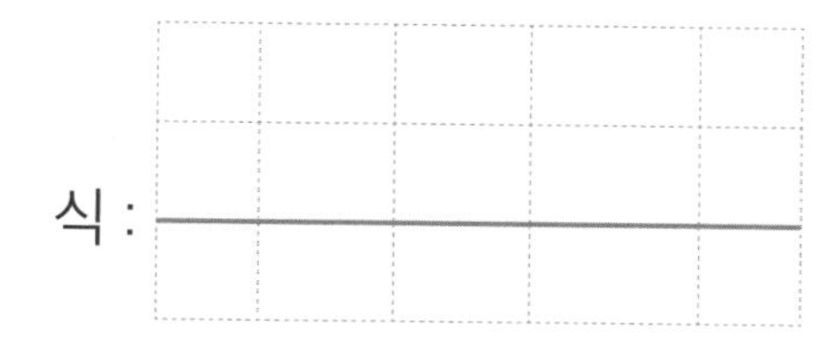

식 : 답 :

확인학습

알맞은 식을 쓰고 답을 구하세요.

⑧ 마트에서 무게가 7 kg 400 g인 수박과 무게가 2 kg 750 g인 멜론을 샀습니다. 수박은 멜론보다 몇 kg 몇 g이 더 무거울까요?

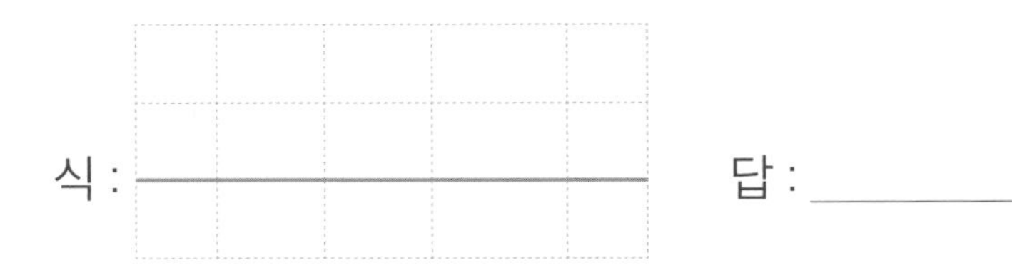

식 : 　　　　답 :

⑨ 준기가 가방을 메고 저울에 올라가면 무게가 40 kg 250 g이고, 가방을 메지 않고 올라가면 37 kg 650 g입니다. 가방의 무게는 몇 kg 몇 g일까요?

식 : 　　　　답 :

⑩ 지혁이네 가족이 옥수수 5 kg 850 g을 따서 2 kg 380 g을 삶아 먹었습니다. 남은 옥수수는 몇 kg 몇 g일까요?

식 : 　　　　답 :

진단평가

진단평가에는 앞에서 학습한 4주차의 문장제 활동이 순서대로 나옵니다. 잘못 푼 문제가 있으면 몇 주차인지 확인하여 반드시 한 번 더 복습해 봅니다.

1주차	3주차
2주차	4주차

1회차

진단평가

✎ 다음 물음에 답하세요.

① 칫솔의 길이는 15 cm보다 7 mm 더 깁니다. 칫솔의 길이는 몇 mm일까요?

____

② 도준이의 운동화 길이는 225 mm입니다. 도준이의 운동화 길이는 몇 cm 몇 mm 일까요?

____

✎ 알맞은 식을 쓰고 답을 구하세요.

③ 오후 10시 10분에 끝난 야구 경기는 3시간 18분 25초 걸렸습니다. 야구 경기가 시작된 시각은 오후 몇 시 몇 분 몇 초일까요?

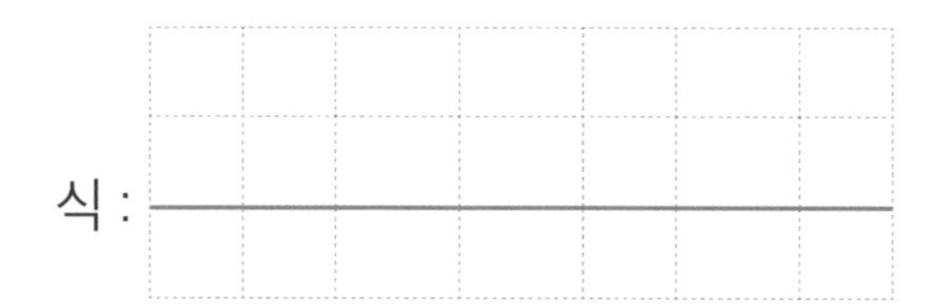

식 : ______________ 답 : ______________

④ 기선이는 목욕탕에 1시간 43분 30초 동안 있다가 오전 9시 21분 50초에 나왔습니다. 기선이가 목욕탕에 들어간 시각은 오전 몇 시 몇 분 몇 초일까요?

식 : ______________ 답 : ______________

알맞은 식을 쓰고 답을 구하세요.

⑤ 3 L 450 mL의 물이 들어 있는 어항에 물 2 L 500 mL를 더 부었습니다. 어항에 들어 있는 물은 모두 몇 L 몇 mL일까요?

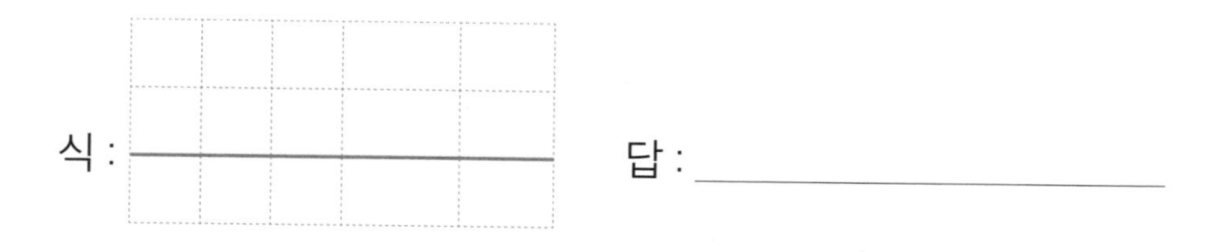

다음 물음에 답하세요.

⑥ 식당에 쇠고기 5280 g, 돼지고기 6 kg 50 g, 닭고기 6260 g 이 있습니다. 셋 중 가장 많은 고기는 무엇일까요?

⑦ 수환이의 볼링공 무게는 8 kg 950 g, 우종이의 볼링공 무게는 9 kg 380 g, 양수의 볼링공 무게는 9070 g입니다. 셋 중 가장 가벼운 볼링공을 가진 사람은 누구일까요?

진단평가

다음 물음에 답하세요.

① 태평양에 있는 어느 해구의 깊이는 6 km 325 m입니다. 이 해구의 깊이는 몇 m일까요?

____

② 육상 선수가 한 바퀴에 400 m인 트랙을 8바퀴 돌았습니다. 육상 선수가 달린 거리는 몇 km 몇 m일까요?

____

다음 물음에 답하세요.

③ 집에서 학교까지 가는 데 8분이 걸립니다. 집에서 학교까지 가는 데 걸리는 시간은 몇 초일까요?

____

④ 즉석밥을 전자레인지에 135초 동안 돌렸습니다. 즉석밥을 돌린 시간은 몇 분 몇 초일까요?

____

월 일
제한 시간 10분
맞은 개수 / 7개

알맞은 식을 쓰고 답을 구하세요.

⑤ 식당에 식용유 6 L 500 mL가 있었는데 요리를 하는 데 2 L 950 mL를 썼습니다. 식당에 남은 식용유는 몇 L 몇 mL일까요?

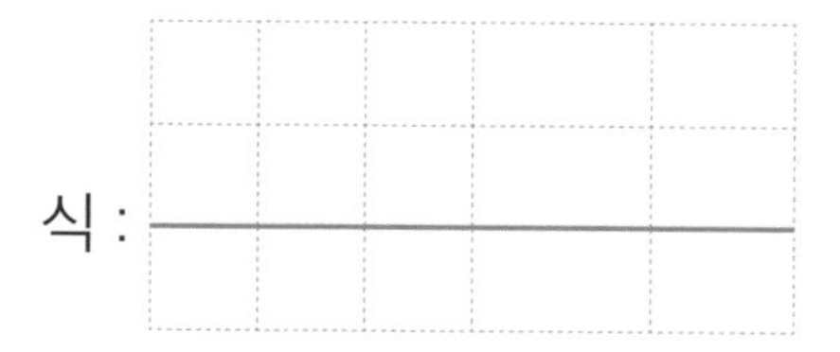

식 :

답 : ____________

⑥ 냉장고에 사과 주스 1 L 650 mL와 오렌지 주스 4 L 800 mL가 있습니다. 냉장고에 있는 오렌지 주스는 사과 주스보다 몇 L 몇 mL 더 많을까요?

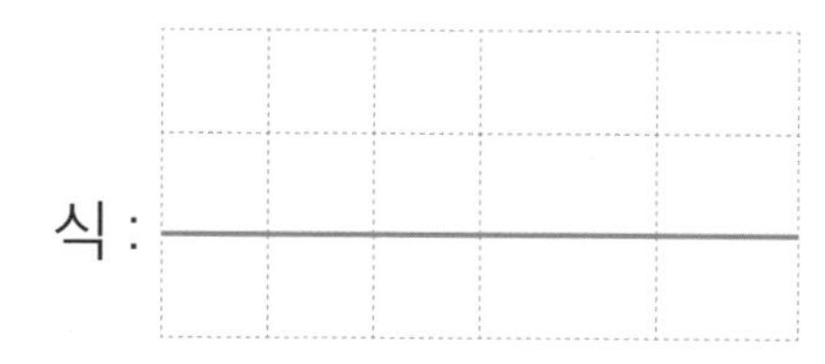

식 :

답 : ____________

알맞은 식을 쓰고 답을 구하세요.

⑦ 냉장고에 콩 1 kg 370 g이 있었는데 콩 3 kg 720 g을 더 사서 넣었습니다. 냉장고에 있는 콩은 몇 kg 몇 g일까요?

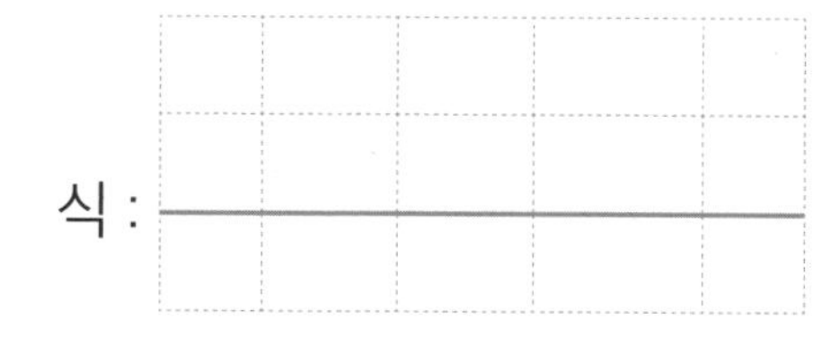

식 :

답 : ____________

진단평가

✎ 알맞은 길이를 골라 밑줄 친 곳에 써넣으세요.

1cm 5mm	1 m 50 cm	15 km

① 단추의 지름은 약 ________________ 입니다.

② 은주의 키는 약 ________________ 입니다.

③ 두 도시 사이의 거리는 약 ________________ 입니다.

✎ 알맞은 식을 쓰고 답을 구하세요.

④ 호진이가 체육관에 22분 30초 동안 있으면서 4분 35초는 쉬고 나머지 시간에는 운동을 했습니다. 호진이가 운동을 한 시간은 몇 분 몇 초일까요?

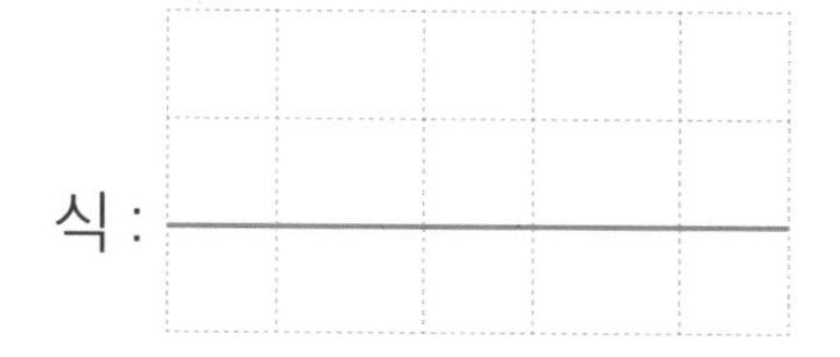

식 : ________________ 답 : ________________

다음 물음에 답하세요.

⑤ 어항의 들이는 5 L 625 mL입니다. 어항의 들이는 몇 mL일까요?

____

⑥ 500 mL 들이 비커 7개에 물을 가득 채웠습니다. 비커에 가득 채운 물의 양은 모두 몇 L 몇 mL일까요?

____

알맞은 식을 쓰고 답을 구하세요.

⑦ 볼링공의 무게는 8 kg 150 g이고, 농구공은 볼링공보다 5 kg 150 g 더 가볍습니다. 농구공의 무게는 몇 kg 몇 g일까요?

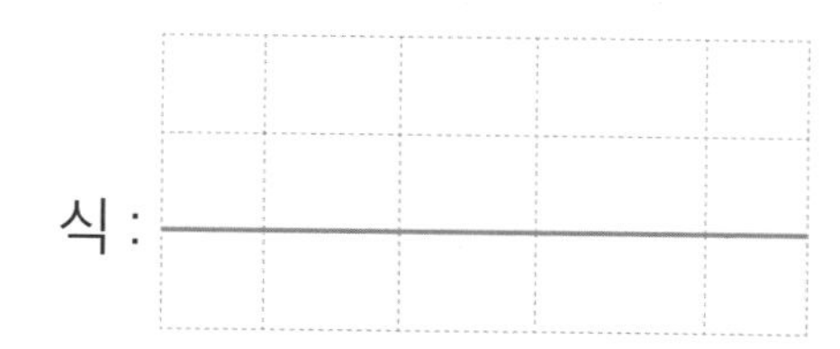

식 : ______________________ 답 : ______________________

⑧ 양파 한 망의 무게는 4 kg 800 g이고, 당근 한 상자의 무게는 7 kg 550 g입니다. 당근은 양파보다 몇 kg 몇 g 더 무거울까요?

식 : ______________________ 답 : ______________________

진단평가

다음 물음에 답하세요.

① 준하 칫솔의 길이는 148 mm, 엄마 칫솔의 길이는 16 cm 5 mm, 아빠 칫솔의 길이는 150 mm입니다. 가장 긴 칫솔을 쓰는 사람은 누구일까요?

____

② 세 친구가 러닝머신 운동을 했습니다. 정훈이는 4850 m를 달렸고, 미현이는 5 km 225 m를 달렸고, 민형이는 5290 m를 달렸습니다. 셋 중 가장 짧은 거리를 달린 사람은 누구일까요?

____

알맞은 식을 쓰고 답을 구하세요.

③ 가로등이 오후 5시 40분 10초에 켜져서 4시간 34분 25초 동안 켜져 있다가 꺼졌습니다. 가로등이 꺼진 시각은 오후 몇 시 몇 분 몇 초일까요?

식 : ______________ 답 : ______________

월 일
제한 시간 10분
맞은 개수 / 8개

알맞은 들이를 골라 밑줄 친 곳에 써넣으세요.

100 mL	1 L	100 L

④ 물 1 kg은 ________ 입니다.

⑤ 미선이네 가족은 일주일에 물을 약 ________ 마십니다.

⑥ 종이컵에 음료수 ________ 를 따랐습니다.

다음 물음에 답하세요.

⑦ 트럭에 실을 수 있는 짐의 양은 최대 2500 kg입니다. 이 트럭에 실을 수 있는 짐은 최대 몇 t 몇 kg일까요?

____

⑧ 하영이네 강아지의 몸무게는 4 kg 100 g입니다. 하영이네 강아지의 몸무게는 몇 g일까요?

____

진단평가

알맞은 식을 쓰고 답을 구하세요.

① 집에서 공원까지의 거리는 4 km 270 m이고, 집에서 마트까지의 거리는 2 km 560 m입니다. 공원은 마트보다 몇 km 몇 m 더 멀까요?

식 : 답 :

② 젓가락의 길이는 14 cm 3 mm이고, 숟가락의 길이는 12 cm 9 mm입니다. 젓가락은 숟가락보다 몇 cm 몇 mm 더 길까요?

식 : 답 :

알맞은 식을 쓰고 답을 구하세요.

③ 예솔이는 오후 4시 34분 20초에 요리를 시작해서 오후 6시 50분 45초에 요리를 끝냈습니다. 예솔이가 요리를 한 시간은 몇 시간 몇 분 몇 초일까요?

식 : 답 :

월	일
제한 시간	10분
맞은 개수	/ 8개

다음 물음에 답하세요.

④ 빨간색 페인트가 5 L 250 mL, 파란색 페인트가 4725 mL, 초록색 페인트가 6 L 100 mL 있습니다. 셋 중 가장 많은 페인트는 무슨 색깔일까요?

____

⑤ 냉장고에 사과 주스가 1350 mL, 포도 주스가 975 mL, 망고 주스가 1 L 240 mL 있습니다. 냉장고에 가장 적게 있는 것은 무슨 주스일까요?

____

알맞은 무게를 골라 밑줄 친 곳에 써넣으세요.

7 g	**7 kg**	**7 t**

⑥ 거미의 몸무게는 약 __________ 입니다.

⑦ 고양이의 몸무게는 약 __________ 입니다.

⑧ 고래의 몸무게는 약 __________ 입니다.

Memo

하루 10분 서술형/문장제 학습지

씨투엠

수학 독해

정답

C3 측정 단위

초3~초4

정답

C3

측정 단위

초3~초4

길이

P 06 ~ 07

1일 밀리미터

밑줄 친 곳에 알맞은 수를 써넣으세요.

3 cm는 30 mm입니다.
1 cm = 10 mm → 3 cm = 10 × 3 = 30 (mm)

① 11 cm는 110 mm입니다.

② 70 mm는 7 cm입니다.

③ 4 cm 5 mm는 45 mm입니다.

④ 245 mm는 24 cm 5 mm입니다.

⑤ 2 cm보다 3 mm 더 긴 길이는 2 cm 3 mm입니다.

⑥ 15 cm보다 8 mm 더 긴 길이는 158 mm입니다.

다음 물음에 답하세요.

연필의 길이는 12 cm보다 4 mm 더 깁니다. 연필의 길이는 몇 cm 몇 mm일까요?
12 cm 4 mm

① 매미의 몸 길이는 6 cm보다 2 mm 더 깁니다. 매미의 몸 길이는 몇 mm일까요?
62 mm

② 클립의 길이는 33 mm입니다. 클립의 길이는 몇 cm 몇 mm일까요?
3 cm 3 mm

③ 현진이의 발 길이는 20 cm보다 5 mm 더 깁니다. 현진이의 발 길이는 몇 mm일까요?
205 mm

④ 공책의 세로 길이는 29 cm보다 7 mm 더 깁니다. 공책의 세로 길이는 몇 mm일까요?
297 mm

6 C3-측정 단위 1주: 길이 7

P 08 ~ 09

2일 킬로미터

밑줄 친 곳에 알맞은 수를 써넣으세요.

5 km는 5000 m입니다.
1 km = 1000 m → 5 km = 1000 × 5 = 5000 (m)

① 8 km는 8000 m입니다.

② 7000 m는 7 km입니다.

③ 4 km 100 m는 4100 m입니다.

④ 5090 m는 5 km 90 m입니다.

⑤ 2 km보다 450 m 더 먼 거리는 2 km 450 m입니다.

⑥ 6 km보다 225 m 더 먼 거리는 6225 m입니다.

다음 물음에 답하세요.

집에서 학교까지의 거리는 1 km보다 500 m 더 멉니다. 집에서 학교까지의 거리는 몇 km 몇 m일까요?
1 km 500 m

① 산의 높이는 2 km 700 m입니다. 산의 높이는 몇 m일까요?
2700 m

② 등산로의 길이는 4250 m입니다. 등산로의 길이는 몇 km 몇 m일까요?
4 km 250 m

③ 다리의 길이는 1 km 385 m입니다. 다리의 길이는 몇 m일까요?
1385 m

④ 현아는 100 m 길이 트랙을 35번 달렸습니다. 현아가 달린 거리는 몇 km 몇 m일까요?
3 km 500 m

8 C3-측정 단위 1주: 길이 9

P 10~11

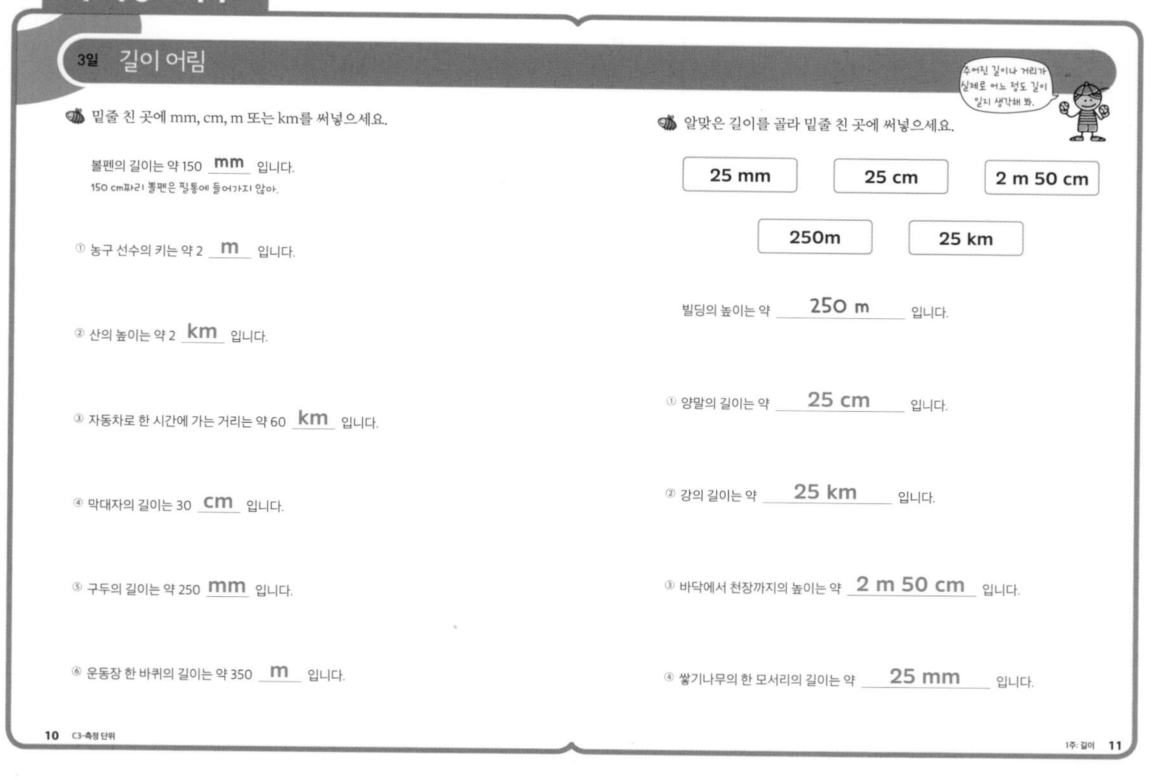

3일 길이 어림

밑줄 친 곳에 mm, cm, m 또는 km를 써넣으세요.

볼펜의 길이는 약 150 mm 입니다.
150 cm짜리 볼펜은 필통에 들어가지 않아.

① 농구 선수의 키는 약 2 m 입니다.

② 산의 높이는 약 2 km 입니다.

③ 자동차로 한 시간에 가는 거리는 약 60 km 입니다.

④ 막대자의 길이는 30 cm 입니다.

⑤ 구두의 길이는 약 250 mm 입니다.

⑥ 운동장 한 바퀴의 길이는 약 350 m 입니다.

알맞은 길이를 골라 밑줄 친 곳에 써넣으세요.

25 mm | 25 cm | 2 m 50 cm | 250m | 25 km

빌딩의 높이는 약 250 m 입니다.

① 양말의 길이는 약 25 cm 입니다.

② 강의 길이는 약 25 km 입니다.

③ 바닥에서 천장까지의 높이는 약 2 m 50 cm 입니다.

④ 쌓기나무의 한 모서리의 길이는 약 25 mm 입니다.

10 C3-측정 단위 | 1주: 길이 11

P 12~13

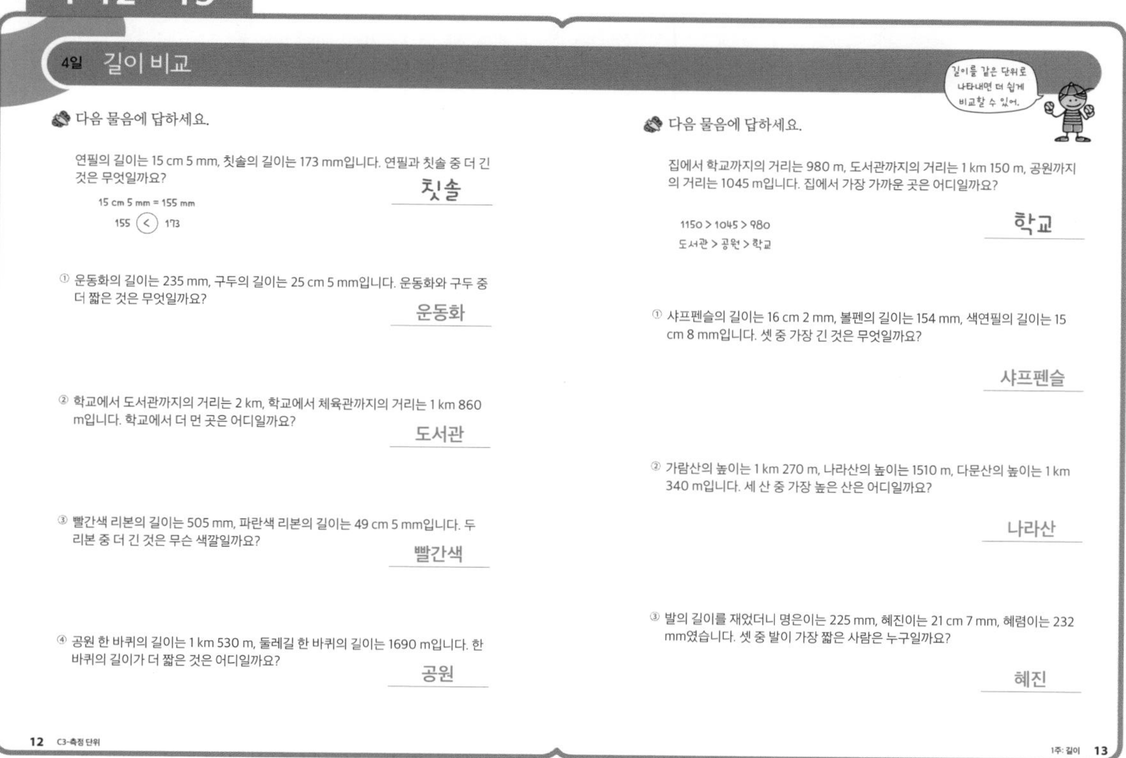

4일 길이 비교

다음 물음에 답하세요.

연필의 길이는 15 cm 5 mm, 칫솔의 길이는 173 mm입니다. 연필과 칫솔 중 더 긴 것은 무엇일까요? 칫솔
15 cm 5 mm = 155 mm
155 < 173

① 운동화의 길이는 235 mm, 구두의 길이는 25 cm 5 mm입니다. 운동화와 구두 중 더 짧은 것은 무엇일까요? 운동화

② 학교에서 도서관까지의 거리는 2 km, 학교에서 체육관까지의 거리는 1 km 860 m입니다. 학교에서 더 먼 곳은 어디일까요? 도서관

③ 빨간색 리본의 길이는 505 mm, 파란색 리본의 길이는 49 cm 5 mm입니다. 두 리본 중 더 긴 것은 무슨 색깔일까요? 빨간색

④ 공원 한 바퀴의 길이는 1 km 530 m, 둘레길 한 바퀴의 길이는 1690 m입니다. 한 바퀴의 길이가 더 짧은 것은 어디일까요? 공원

다음 물음에 답하세요.

집에서 학교까지의 거리는 980 m, 도서관까지의 거리는 1 km 150 m, 공원까지의 거리는 1045 m입니다. 집에서 가장 가까운 곳은 어디일까요? 학교
1150 > 1045 > 980
도서관 > 공원 > 학교

① 샤프펜슬의 길이는 16 cm 2 mm, 볼펜의 길이는 154 mm, 색연필의 길이는 15 cm 8 mm입니다. 셋 중 가장 긴 것은 무엇일까요? 샤프펜슬

② 가람산의 높이는 1 km 270 m, 나라산의 높이는 1510 m, 다문산의 높이는 1 km 340 m입니다. 세 산 중 가장 높은 산은 어디일까요? 나라산

③ 발의 길이를 재었더니 명은이는 225 mm, 혜진이는 21 cm 7 mm, 혜령이는 232 mm였습니다. 셋 중 발이 가장 짧은 사람은 누구일까요? 혜진

12 C3-측정 단위 | 1주: 길이 13

P 14 ~ 15

5일 길이의 합과 차

✿ 알맞은 식을 쓰고 답을 구하세요.

빨간색 크레파스의 길이는 6 cm 8 mm이고, 파란색 크레파스의 길이는 7 cm 2 mm입니다. 두 크레파스의 길이의 합은 몇 cm 몇 mm일까요?

식 :

		1			
		6	cm	8	mm
+		7	cm	2	mm
	1	4	cm	0	mm

8 mm + 2 mm = 10 mm = 1 cm

답 : 14 cm

① 길이가 12 cm 5 mm인 색 테이프와 8 cm 7 mm인 색 테이프를 겹치는 부분 없이 이어 붙였습니다. 이어 붙인 길이는 몇 cm 몇 mm일까요?

식 :

	12	cm	5	mm
+	8	cm	7	mm
	21	cm	2	mm

답 : 21 cm 2 mm

② 길이가 15 cm 2 mm인 초가 2 cm 7 mm만큼 줄어들었습니다. 초의 길이는 몇 cm 몇 mm가 되었을까요?

식 :

	15	cm	2	mm
−	2	cm	7	mm
	12	cm	5	mm

답 : 12 cm 5 mm

✿ 알맞은 식을 쓰고 답을 구하세요.

마음산의 높이는 1 km 890 m이고, 바른산의 높이는 2 km 300 m입니다. 바른산은 마음산보다 몇 km 몇 m 더 높을까요?

식 :

	1		1000	
	2	km	300	m
−	1	km	890	m
	0	km	410	m

1300 m − 890 m = 410 m

답 : 410 m

① 자동차로 9 km 200 m를 갔다가 왔던 길로 다시 4 km 470 m를 돌아왔습니다. 자동차는 출발한 곳에서 몇 km 몇 m 떨어져 있을까요?

식 :

	9	km	200	m
−	4	km	470	m
	4	km	730	m

답 : 4 km 730 m

② 집에서 도서관까지의 거리는 1 km 550 m이고, 도서관에서 학교까지의 거리는 3 km 480 m입니다. 집에서 도서관을 거쳐 학교까지 가는 거리는 몇 km 몇 m일까요?

식 :

	1	km	550	m
+	3	km	480	m
	5	km	30	m

답 : 5 km 30 m

14 C3-측정 단위   1주 길이 15

P 16 ~ 17

확인학습

✎ 다음 물음에 답하세요.

① 크레파스의 길이는 88 mm입니다. 크레파스의 길이는 몇 cm 몇 mm일까요?

8 cm 8 mm

② 주민이의 한 뼘의 길이는 10 cm보다 6 mm 더 깁니다. 주민이의 한 뼘의 길이는 몇 mm일까요?

106mm

✎ 알맞은 길이를 골라 밑줄 친 곳에 써넣으세요.

3 mm	3 m	3 km

⑤ 유나는 멀리뛰기를 약 3 m 를 뛰었습니다.

⑥ 유나는 한 시간 동안 약 3 km 를 걸었습니다.

⑦ 유나의 머리카락이 약 3 mm 자랐습니다.

✎ 다음 물음에 답하세요.

③ 호수 둘레길의 길이는 2 km 860 m입니다. 호수 둘레길의 길이는 몇 m일까요?

2860 m

④ 두 도시 사이의 거리는 8480 m입니다. 두 도시 사이의 거리는 몇 km 몇 m일까요?

8 km 480 m

✎ 다음 물음에 답하세요.

⑧ 딱풀의 길이는 8 cm 4 mm, 크레파스의 길이는 81 mm입니다. 딱풀과 크레파스 중 더 짧은 것은 무엇일까요?

크레파스

⑨ 승혜는 어제 3 km 400 m를 걸었고, 오늘 2880 m를 걸었습니다. 어제와 오늘 중 더 긴 거리를 걸은 날은 언제일까요?

어제

16 C3-측정 단위   1주 길이 17

P 18

확인학습

알맞은 식을 쓰고 답을 구하세요.

⑩ 공원 한 바퀴의 길이는 1 km 300 m이고, 공원에서 집까지의 거리는 2 km 700 m입니다. 공원을 한 바퀴 돌고 집까지 가는 거리는 몇 km 몇 m일까요?

식 :

	1	km	300	m
+	2	km	700	m
	4	km	0	m

답 : 4 km

⑪ 목을 숨긴 거북이의 몸 길이는 8 cm 4 mm입니다. 거북이가 목을 늘리면 몸 길이가 4 cm 7 mm 늘어난다고 할 때, 목을 늘린 거북이의 몸 길이는 몇 cm 몇 mm가 될까요?

식 :

	8	cm	4	mm
+	4	cm	7	mm
	13	cm	1	mm

답 : 13 cm 1 mm

⑫ 지웅이가 산을 올라갈 때는 거리가 2 km 210 m인 길로 올라갔고, 내려올 때는 거리가 2 km 940 m인 길로 내려왔습니다. 지웅이가 산 정상까지 왕복한 거리는 몇 km 몇 m일까요?

식 :

	2	km	210	m
+	2	km	940	m
	5	km	150	m

답 : 5 km 150 m

18 C3-측정단위

P 20 ~ 21

1일 초

초바늘이 작은 눈금 한 칸을 지나는 시간을 1초라고 해.

밑줄 친 곳에 알맞은 수를 써넣으세요.

5분은 300 초입니다.
1분 = 60초 → 5분 = 60 × 5 = 300(초)

① 3분은 180 초입니다.

② 420초는 7 분입니다.

③ 1분 30초는 90 초입니다.

④ 4분 52초는 292 초입니다.

⑤ 200초는 3 분 20 초입니다.

⑥ 385초는 6 분 25 초입니다.

다음 물음에 답하세요.

영준이가 학교 운동장을 한 바퀴 도는 데 걸린 시간은 4분입니다. 영준이가 운동장을 도는 데 걸린 시간은 몇 초일까요?
60 × 4 = 240(초)
240초

① 모래가 다 떨어지는 데 360초가 걸리는 모래시계가 있습니다. 모래가 다 떨어지는 데 걸리는 시간은 몇 분일까요?
6분

② 세람이는 물 속에서 85초 동안 숨을 참았습니다. 세람이가 숨을 참은 시간은 몇 분 몇 초일까요?
1분 25초

③ 컵라면을 전자레인지에 3분 30초 동안 돌렸습니다. 컵라면을 돌린 시간은 몇 초일까요?
210초

④ 우상이네 강아지가 밥을 먹는 데 걸리는 시간은 255초입니다. 우상이네 강아지가 밥을 먹는 데 걸리는 시간은 몇 분 몇 초일까요?
4분 15초

20 C3-측정 단위 2주: 시간 21

P 22 ~ 23

2일 시간의 합과 차

시간 덧셈에서는 분이나 초가 60보다 크면 받아올림이 생겨.

시간의 합과 차를 구하세요.

10분 30초와 8분 45초의 합은 몇 분 몇 초일까요?

식:

	1			
	10	분	30	초
+	8	분	45	초
	19	분	15	초

30초 + 45초 = 75초 = 1분 15초

답: 19분 15초

① 15분 20초와 6분 50초의 차는 몇 분 몇 초일까요?

식:

	15	분	20	초
−	6	분	50	초
	8	분	30	초

답: 8분 30초

② 2시간 35분과 3시간 45분의 합은 몇 시간 몇 분일까요?

식:

	2	시간	35	분
+	3	시간	45	분
	6	시간	20	분

답: 6시간 20분

알맞은 식을 쓰고 답을 구하세요.

학습지 한 장을 푸는 데 걸린 시간은 원희가 4분 33초, 은정이가 6분 17초였습니다. 은정이가 학습지 한 장을 푸는 데 걸린 시간은 원희보다 몇 분 몇 초 더 걸렸을까요?

식:

	5		60	
	6	분	17	초
−	4	분	33	초
	1	분	44	초

60초 + 17초 − 33초 = 44초

답: 1분 44초

① 하연이가 수학 공부를 한 시간은 2시간 15분이고, 영어 공부를 한 시간은 1시간 48분입니다. 수학 공부를 한 시간은 영어 공부를 한 시간보다 몇 시간 몇 분 더 길까요?

식:

	2	시간	15	분
−	1	시간	48	분
	0	시간	27	분

답: 27분

② 수진이는 아침에 일어나서 3분 40초 동안 양치를 하고, 8분 45초 동안 세수를 했습니다. 수진이가 양치와 세수를 하는 데 걸린 시간은 몇 분 몇 초일까요?

식:

	3	분	40	초
+	8	분	45	초
	12	분	25	초

답: 12분 25초

22 C3-측정 단위 2주: 시간 23

P 24 ~ 25

3일 (시각)+(시간)=(시각)

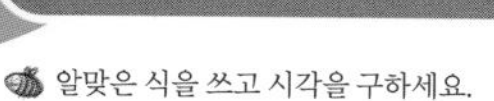

알맞은 식을 쓰고 시각을 구하세요.

오전 6시 45분 30초에서 2시간 8분 50초 후의 시각은 오전 몇 시 몇 분 몇 초일까요?

식:

			1			
	6	시	45	분	30	초
+	2	시간	8	분	50	초
	8	시	54	분	20	초

30초 + 50초 = 80초 = 1분 20초

답: 8시 54분 20초

① 오전 4시 38분에서 5시간 36분 30초 후의 시각은 오전 몇 시 몇 분 몇 초일까요?

식:

	4	시	38	분		
+	5	시간	36	분	30	초
	10	시	14	분	30	초

답: 10시 14분 30초

② 오후 1시 7분 45초에서 3시간 28분 20초 후의 시각은 오후 몇 시 몇 분 몇 초일까요?

식:

	1	시	7	분	45	초
+	3	시간	28	분	20	초
	4	시	36	분	5	초

답: 4시 36분 5초

알맞은 식을 쓰고 답을 구하세요.

수연이는 오후 3시 50분에 영화를 보기 시작해서 2시간 15분 30초 동안 영화를 보았습니다. 영화가 끝난 시각은 오후 몇 시 몇 분 몇 초일까요?

식:

	1					
	3	시	50	분		
+	2	시간	15	분	30	초
	6	시	5	분	30	초

50분 + 15분 = 65분 = 1시간 5분

답: 6시 5분 30초

① 연아는 오후 2시 17분 35초에 집을 나서서 산책을 1시간 35분 45초 동안 하고 돌아왔습니다. 연아가 집에 돌아온 시각은 오후 몇 시 몇 분 몇 초일까요?

식:

	2	시	17	분	35	초
+	1	시간	35	분	45	초
	3	시	53	분	20	초

답: 3시 53분 20초

② 마라톤 선수가 오전 9시 13분 10초에 출발하여 2시간 17분 50초를 달려 골인 지점에 도착하였습니다. 이 선수가 골인 지점에 도착한 시각은 오전 몇 시 몇 분 몇 초일까요?

식:

	9	시	13	분	10	초
+	2	시간	17	분	50	초
	11	시	31	분	0	초

답: 11시 31분

24 C3-측정 단위   2주: 시간 25

P 26 ~ 27

4일 (시각)-(시각)=(시간)

두 시각 사이의 시간을 구하세요.

오전 7시 45분 30초부터 오전 10시 15분 45초까지의 시간은 몇 시간 몇 분 몇 초일까요?

식:

	9					
	10	시	15	분	45	초
-	7	시	45	분	30	초
	2	시간	30	분	15	초

60분 + 15분 - 45분 = 30분

답: 2시간 30분 15초

① 오후 2시 42분 15초부터 오후 4시 58분까지의 시간은 몇 시간 몇 분 몇 초일까요?

식:

	4	시	58	분		
-	2	시	42	분	15	초
	2	시간	15	분	45	초

답: 2시간 15분 45초

② 오전 3시 10분 45초부터 오전 9시 5분 15초까지의 시간은 몇 시간 몇 분 몇 초일까요?

식:

	9	시	5	분	15	초
-	3	시	10	분	45	초
	5	시간	54	분	30	초

답: 5시간 54분 30초

알맞은 식을 쓰고 답을 구하세요.

지후는 숙제를 오후 4시 32분에 시작해서 오후 6시 10분 30초에 끝냈습니다. 지후가 숙제를 하는 데 걸린 시간은 몇 시간 몇 분 몇 초일까요?

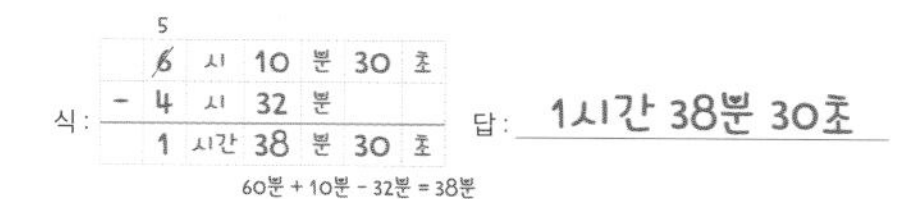

식:

	5					
	6	시	10	분	30	초
-	4	시	32	분		
	1	시간	38	분	30	초

60분 + 10분 - 32분 = 38분

답: 1시간 38분 30초

① 도연이가 집에서 오후 2시 20분 40초에 출발해서 민지네 집에 오후 3시 35분에 도착했습니다. 도연이가 민지네 집까지 가는 데 걸린 시간은 몇 시간 몇 분 몇 초일까요?

식:

	3	시	35	분		
-	2	시	20	분	40	초
	1	시간	14	분	20	초

답: 1시간 14분 20초

② 예진이는 오전 1시 5분 15초에 잠들어서 오전 8시 11분에 잠을 깼습니다. 예진이가 잠을 잔 시간은 몇 시간 몇 분 몇 초일까요?

식:

	8	시	11	분		
-	1	시	5	분	15	초
	7	시간	5	분	45	초

답: 7시간 5분 45초

26 C3-측정 단위   2주: 시간 27

P 28 ~ 29

5일 (시각)-(시간)=(시각)

시각에서 시간을 빼면 얼마 전의 시각을 구할 수 있어.

알맞은 식을 쓰고 시각을 구하세요.

오후 10시 30분 10초에서 2시간 12분 55초 전의 시각은 오후 몇 시 몇 분 몇 초일까요?

식 :

	10	시	30 (29)	분	10 (60)	초
-	2	시간	12	분	55	초
	8	시	17	분	15	초

60초 + 10초 - 55초 = 15초

답 : 8시 17분 15초

① 오전 4시 정각에서 1시간 48분 45초 전의 시각은 오전 몇 시 몇 분 몇 초일까요?

식 :

	4	시				
-	1	시간	48	분	45	초
	2	시	11	분	15	초

답 : 2시 11분 15초

② 오후 7시 13분 35초에서 2시간 17분 15초 전의 시각은 오후 몇 시 몇 분 몇 초일까요?

식 :

	7	시	13	분	35	초
-	2	시간	17	분	15	초
	4	시	56	분	20	초

답 : 4시 56분 20초

알맞은 식을 쓰고 답을 구하세요.

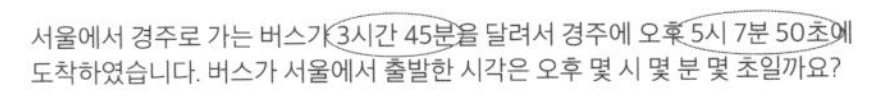
서울에서 경주로 가는 버스가 3시간 45분을 달려서 경주에 오후 5시 7분 50초에 도착하였습니다. 버스가 서울에서 출발한 시각은 오후 몇 시 몇 분 몇 초일까요?

식 :

	5 (4)	시	7 (60)	분	50	초
-	3	시간	45	분		
	1	시	22	분	50	초

60분 + 7분 - 45분 = 22분

답 : 1시 22분 50초

① 창석이는 텔레비전을 1시간 25분 20초 동안 보고 오전 10시 5분에 텔레비전을 껐습니다. 창석이가 텔레비전을 보기 시작한 시각은 오전 몇 시 몇 분 몇 초일까요?

식 :

	10	시	5	분		
-	1	시간	25	분	20	초
	8	시	39	분	40	초

답 : 8시 39분 40초

② 4시간 6분 15초 동안 작동하는 음악 분수가 오후 8시 36분 15초에 꺼졌습니다. 음악 분수가 시작된 시각은 오후 몇 시 몇 분 몇 초일까요?

식 :

	8	시	36	분	15	초
-	4	시간	6	분	15	초
	4	시	30	분	0	초

답 : 4시 30분

28 C3-측정 단위 / 2주: 시간 29

P 30 ~ 31

확인학습

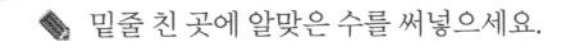
밑줄 친 곳에 알맞은 수를 써넣으세요.

① 120초는 __2__ 분입니다.

② 3분 30초는 __210__ 초입니다.

③ 275초는 __4__ 분 __35__ 초입니다.

다음 물음에 답하세요.

④ 기현이가 자전거로 공원을 한 바퀴 도는 데 걸린 시간은 525초였습니다. 기현이가 공원을 도는 데 걸린 시간은 몇 분 몇 초일까요?

8분 45초

⑤ 빌딩 꼭대기에서 1층까지 엘리베이터가 내려오는 데 걸리는 시간은 1분 55초입니다. 엘리베이터가 내려오는 데 걸리는 시간은 몇 초일까요?

115초

알맞은 식을 쓰고 답을 구하세요.

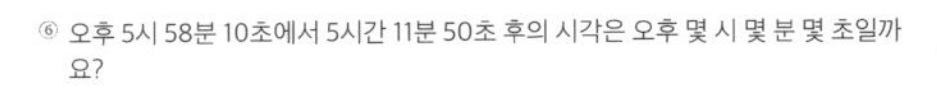
⑥ 오후 5시 58분 10초에서 5시간 11분 50초 후의 시각은 오후 몇 시 몇 분 몇 초일까요?

식 :

	5	시	58	분	10	초
+	5	시간	11	분	50	초
	11	시	10	분	0	초

답 : 11시 10분

⑦ 오후 6시 55분부터 오후 11시 37분 10초까지의 시간은 몇 시간 몇 분 몇 초일까요?

식 :

	11	시	37	분	10	초
-	6	시	55	분		
	4	시간	42	분	10	초

답 : 4시간 42분 10초

⑧ 오전 11시 55분 25초에서 8시간 13분 40초 전의 시각은 오전 몇 시 몇 분 몇 초일까요?

식 :

	11	시	55	분	25	초
-	8	시간	13	분	40	초
	3	시	41	분	45	초

답 : 3시 41분 45초

30 C3-측정 단위 / 2주: 시간 31

P 32

확인학습

✎ 알맞은 식을 쓰고 답을 구하세요.

⑨ 기차가 대전에서 오전 7시 16분에 출발하여 2시간 7분 25초만에 부산에 도착하였습니다. 기차가 부산에 도착한 시각은 오전 몇 시 몇 분 몇 초일까요?

식 :

	7	시	16	분		
+	2	시간	7	분	25	초
	9	시	23	분	25	초

답 : 9시 23분 25초

⑩ 혁오는 자전거를 타고 집에서 오전 7시 17분 55초에 출발하여 도서관에 오전 9시 정각에 도착하였습니다. 혁오가 집에서 도서관까지 가는 데 걸린 시간은 몇 시간 몇 분 몇 초일까요?

식 :

	9	시				
−	7	시	17	분	55	초
	1	시간	42	분	5	초

답 : 1시간 42분 5초

⑪ 영우가 봉사 활동을 2시간 30분 동안 하고 난 후 시계를 보니 오후 6시 5분 40초였습니다. 영우가 봉사 활동을 시작한 시각은 오후 몇 시 몇 분 몇 초일까요?

식 :

	6	시	5	분	40	초
−	2	시간	30	분		-
	3	시	35	분	40	초

답 : 3시 35분 40초

32 C3-측정 단위

P 34 ~ 35

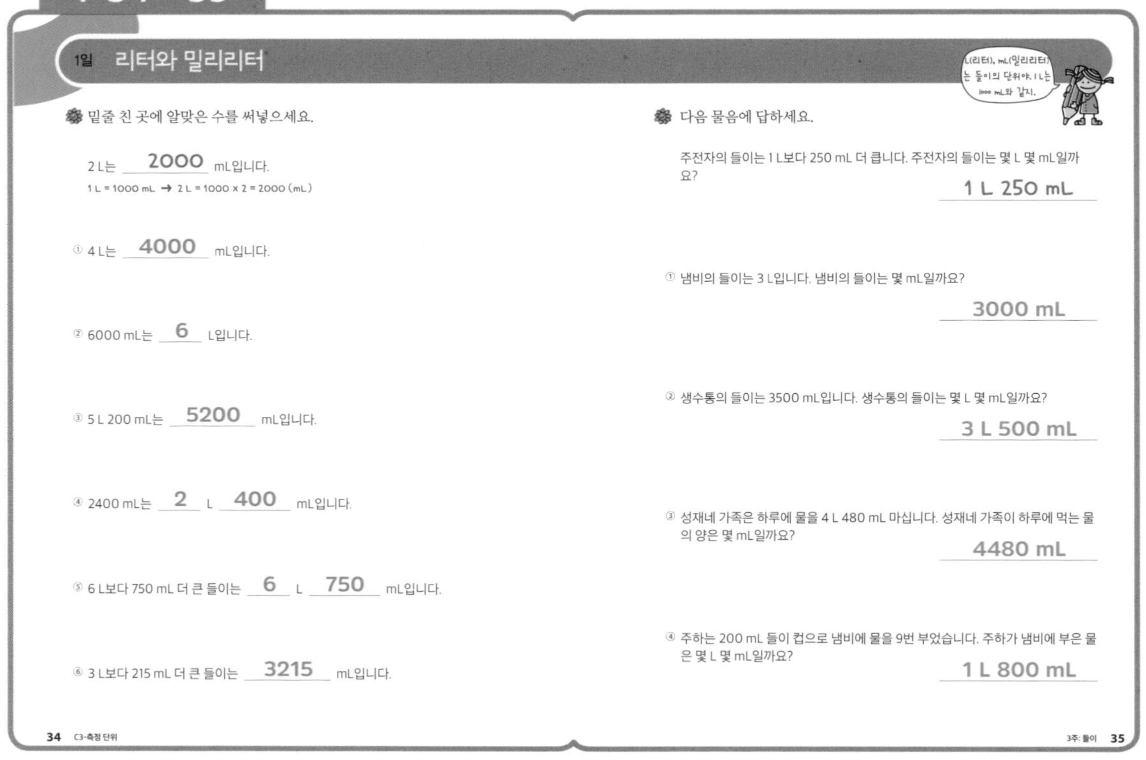

1일 리터와 밀리리터

L(리터), mL(밀리리터)는 들이의 단위야. 1 L는 1000 mL와 같지.

밑줄 친 곳에 알맞은 수를 써넣으세요.

2 L는 2000 mL입니다.
1 L = 1000 mL → 2 L = 1000 x 2 = 2000 (mL)

① 4 L는 4000 mL입니다.

② 6000 mL는 6 L입니다.

③ 5 L 200 mL는 5200 mL입니다.

④ 2400 mL는 2 L 400 mL입니다.

⑤ 6 L보다 750 mL 더 큰 들이는 6 L 750 mL입니다.

⑥ 3 L보다 215 mL 더 큰 들이는 3215 mL입니다.

다음 물음에 답하세요.

주전자의 들이는 1 L보다 250 mL 더 큽니다. 주전자의 들이는 몇 L 몇 mL일까요?
1 L 250 mL

① 냄비의 들이는 3 L입니다. 냄비의 들이는 몇 mL일까요?
3000 mL

② 생수통의 들이는 3500 mL입니다. 생수통의 들이는 몇 L 몇 mL일까요?
3 L 500 mL

③ 성재네 가족은 하루에 물을 4 L 480 mL 마십니다. 성재네 가족이 하루에 먹는 물의 양은 몇 mL일까요?
4480 mL

④ 주하는 200 mL 들이 컵으로 냄비에 물을 9번 부었습니다. 주하가 냄비에 부은 물은 몇 L 몇 mL일까요?
1 L 800 mL

34 C3-측정 단위　　3주: 들이 35

P 36 ~ 37

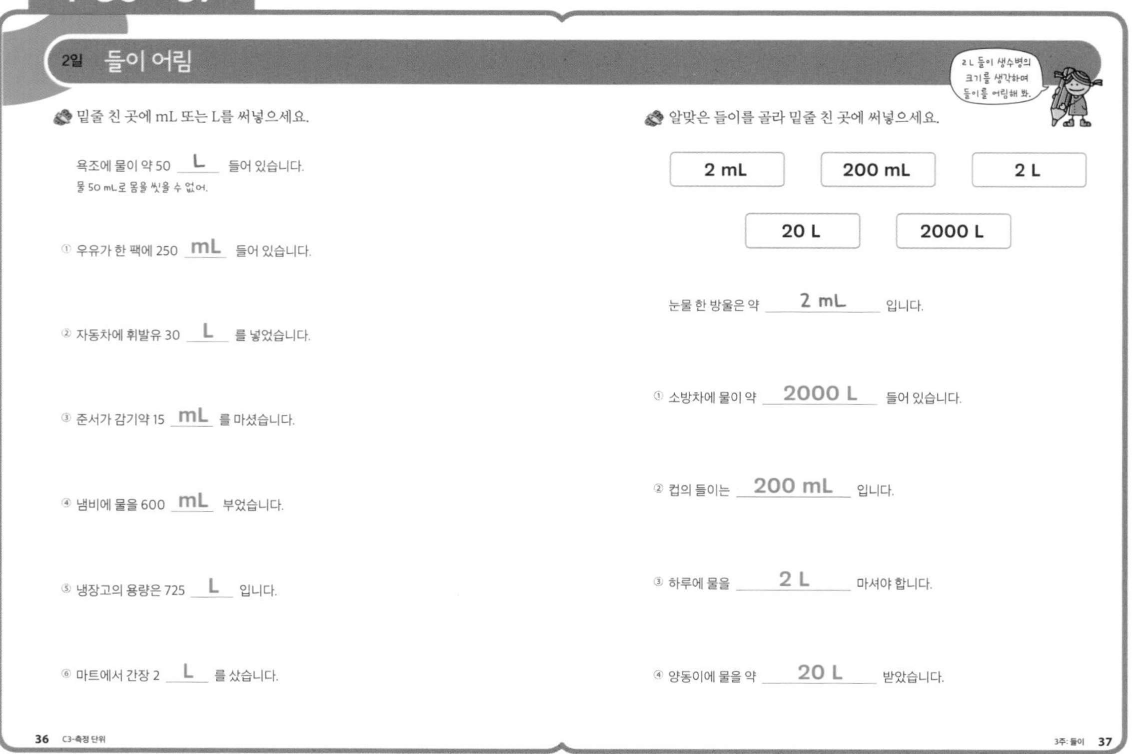

2일 들이 어림

2 L 들이 생수병의 크기를 생각하여 들이를 어림해 봐.

밑줄 친 곳에 mL 또는 L를 써넣으세요.

욕조에 물이 약 50 L 들어 있습니다.
물 50 mL로 몸을 씻을 수 없어.

① 우유가 한 팩에 250 mL 들어 있습니다.

② 자동차에 휘발유 30 L 를 넣었습니다.

③ 준서가 감기약 15 mL 를 마셨습니다.

④ 냄비에 물을 600 mL 부었습니다.

⑤ 냉장고의 용량은 725 L 입니다.

⑥ 마트에서 간장 2 L 를 샀습니다.

알맞은 들이를 골라 밑줄 친 곳에 써넣으세요.

2 mL	200 mL	2 L	20 L	2000 L

눈물 한 방울은 약 2 mL 입니다.

① 소방차에 물이 약 2000 L 들어 있습니다.

② 컵의 들이는 200 mL 입니다.

③ 하루에 물을 2 L 마셔야 합니다.

④ 양동이에 물을 약 20 L 받았습니다.

36 C3-측정 단위　　3주: 들이 37

P 38 ~ 39

3일 들이 비교

단위를 mL로 통일한 다음 들이를 비교하면 편리해.

다음 물음에 답하세요.

간장이 2 L 500 mL 있고, 식용유가 2550 mL 있습니다. 간장과 식용유 중 더 많은 것은 무엇일까요?

2 L 500 mL = 2500 mL

2500 < 2550

식용유

① 지후는 어제 물을 1250 mL 마셨고, 오늘은 1 L 330 mL 마셨습니다. 어제와 오늘 중 물을 더 적게 마신 날은 언제일까요?

어제

② 금붕어 어항에 물이 3400 mL 들어 있고, 열대어 어항에 물이 4 L 50 mL 들어 있습니다. 물이 더 많은 어항은 어느 것일까요?

열대어 어항

③ 초록색 유리병의 들이는 2 L 400 mL이고, 파란색 유리병의 들이는 2250 mL입니다. 둘 중 들이가 더 적은 유리병은 무슨 색깔일까요?

파란색

④ 마트에서 주스 5 L와 우유 4850 mL를 샀습니다. 주스와 우유 중 더 많이 산 것은 무엇일까요?

주스

다음 물음에 답하세요.

병 가, 나, 다에 음료수가 각각 2260 mL, 1 L 850 mL, 1980 mL 들어 있습니다. 세 병 중 물이 가장 많이 들어 있는 것은 어느 병일까요?

2260 > 1980 > 1850

가 > 다 > 나

가

① 식당에 국간장이 4025 mL, 식초가 3 L 460 mL, 물엿이 3655 mL 있습니다. 셋 중 식당에 가장 적게 있는 것은 무엇일까요?

식초

② 현지의 생일 파티에 우유 2 L 500 mL, 주스 4300 mL, 차 3 L 900 mL를 준비했습니다. 가장 많이 준비한 음료는 무엇일까요?

주스

③ 양동이에 준희는 물을 7 L 980 mL 부었고, 양수는 물을 8415 mL 부었고, 준현이는 물을 8L 70mL 부었습니다. 셋 중 물을 가장 적게 부은 사람은 누구일까요?

준희

38 C3-측정 단위   3주: 들이 39

P 40 ~ 41

4일 들이의 합

밀리리터의 합이 1000보다 크면 리터를 받아올림 해.

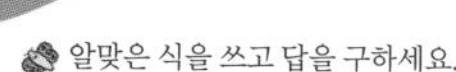

알맞은 식을 쓰고 답을 구하세요.

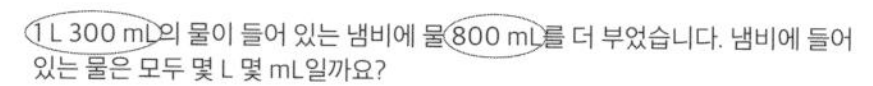

1 L 300 mL의 물이 들어 있는 냄비에 물 800 mL를 더 부었습니다. 냄비에 들어 있는 물은 모두 몇 L 몇 mL일까요?

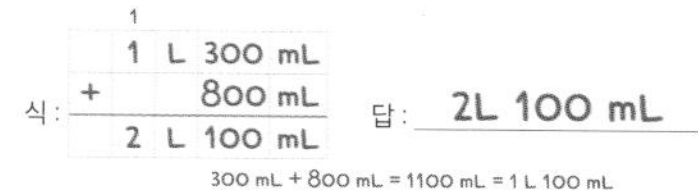

식 :

	1	L	300 mL
+			800 mL
	2	L	100 mL

답 : **2L 100 mL**

300 mL + 800 mL = 1100 mL = 1 L 100 mL

① 고은이는 어제 물 1 L 330 mL를 마셨고, 오늘 물 1 L 280 mL를 마셨습니다. 고은이가 이틀 동안 마신 물은 몇 L 몇 mL일까요?

식 :

	1	L	330	mL
+	1	L	280	mL
	2	L	610	mL

답 : **2 L 610 mL**

② 마트에서 우유 1 L 650 mL 들이 우유를 2팩 샀습니다. 마트에서 산 우유는 모두 몇 L 몇 mL일까요?

식 :

	1	L	650	mL
+	1	L	650	mL
	3	L	300	mL

답 : **3 L 300 mL**

③ 기름이 2 L 700 mL 남은 자동차에 기름 6 L 150 mL를 더 넣었습니다. 자동차에 들어 있는 기름은 몇 L 몇 mL일까요?

식 :

	2	L	700	mL
+	6	L	150	mL
	8	L	850	mL

답 : **8 L 850 mL**

④ 냉장고에 주스가 2 L 280 mL 있고, 물은 주스보다 4 L 850 mL 더 많습니다. 냉장고에 있는 물은 몇 L 몇 mL일까요?

식 :

	2	L	280	mL
+	4	L	850	mL
	7	L	130	mL

답 : **7 L 130 mL**

⑤ 빨간색 페인트 4 L 50 mL와 파란색 페인트 4 L 600 mL를 섞어서 보라색 페인트를 만들었습니다. 보라색 페인트는 모두 몇 L 몇 mL일까요?

식 :

	4	L	50	mL
+	4	L	600	mL
	8	L	650	mL

답 : **8 L 650 mL**

40 C3-측정 단위   3주: 들이 41

P 42 ~ 43

5일 들이의 차

밀리리터를 뺄 수 없으면 리터에서 1000을 받아내림 해야 해.

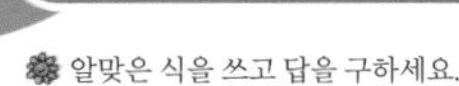
알맞은 식을 쓰고 답을 구하세요.

마트에서 우유 3 L 100 mL와 주스 1 L 700 mL를 샀습니다. 우유는 주스보다 몇 L 몇 mL를 더 샀을까요?

식 :

	2 (3)	L	1000 (100)	mL
−	1	L	700	mL
	1	L	400	mL

1100 mL − 700 mL = 400 mL

답 : 1L 400 mL

① 약수터에서 수호는 물 5 L 170 mL를 받았고, 정국이는 수호보다 물 3 L 450 mL를 더 적게 받았습니다. 정국이가 받은 물은 몇 L 몇 mL일까요?

식 :

	5	L	170	mL
−	3	L	450	mL
	1	L	720	mL

답 : 1 L 720 mL

② 냉장고에 음료수 4 L가 있었는데 그 중 1 L 280 mL를 마셨습니다. 냉장고에 남은 음료수는 몇 L 몇 mL일까요?

식 :

	4	L		
−	1	L	280	mL
	2	L	720	mL

답 : 2 L 720 mL

③ 지훈이의 생일 파티에서 친구들이 주스 3 L 360 mL를, 식혜 2 L 520 mL를 마셨습니다. 친구들이 마신 주스는 식혜보다 몇 L 몇 mL 더 많을까요?

식 :

	3	L	360	mL
−	2	L	520	mL
	0	L	840	mL

답 : 840 mL

④ 물 5 L 450mL가 수조에 들어 있었는데 들이가 2 L 250 mL인 물병이 가득 차도록 한 번 퍼내었습니다. 남은 물은 몇 L 몇 mL일까요?

식 :

	5	L	450	mL
−	2	L	250	mL
	3	L	200	mL

답 : 3 L 200 mL

⑤ 영주네 집에는 간장이 8 L 830 mL, 식초가 3 L 650 mL 있습니다. 영주네 집에 있는 간장은 식초보다 몇 L 몇 mL 더 많을까요?

식 :

	8	L	830	mL
−	3	L	650	mL
	5	L	180	mL

답 : 5 L 180 mL

42 C3-측정 단위 3주: 들이 43

P 44 ~ 45

확인학습

다음 물음에 답하세요.

① 밥솥의 들이는 4500 mL입니다. 밥솥의 들이는 몇 L 몇 mL일까요?

4 L 500 mL

② 양동이에 8430 mL의 물이 들어 있습니다. 양동이에 들어 있는 물은 몇 L 몇 mL일까요?

8 L 430 mL

다음 물음에 답하세요.

③ 자동차가 월요일에 쓴 기름은 6880 mL였고, 화요일에 쓴 기름은 6 L 690 mL였습니다. 기름을 더 적게 쓴 날은 무슨 요일일까요?

화요일

④ 물을 동엽이는 1 L 440 mL 마셨고, 현서는 1500 mL 마셨습니다. 둘 중 물을 더 많이 마신 사람은 누구일까요?

현서

알맞은 식을 쓰고 답을 구하세요.

⑤ 일주일 동안 진희는 주스 3 L 670 mL를 마셨고, 민우는 주스 4 L 200 mL를 마셨습니다. 일주일 동안 두 사람이 마신 주스는 몇 L 몇 mL일까요?

식 :

	3	L	670	mL
+	4	L	200	mL
	7	L	870	mL

답 : 7 L 870 mL

⑥ 물 4 L 390 mL 들어 있는 수조에 물을 750 mL 더 넣었습니다. 수조에 있는 물은 몇 L 몇 mL일까요?

식 :

	4	L	390	mL
+			750	mL
	5	L	140	mL

답 : 5 L 140 mL

⑦ 냉장고에 우유가 1 L 250 mL 있었는데 우유 3 L 750 mL를 더 사서 넣었습니다. 냉장고에 있는 우유는 몇 L 몇 mL일까요?

식 :

	1	L	250	mL
+	3	L	750	mL
	5	L	0	mL

답 : 5 L

44 C3-측정 단위 3주: 들이 45

P 46

확인학습

알맞은 식을 쓰고 답을 구하세요.

⑧ 현수의 엄마가 양배추즙 7 L 500 mL를 주문해서 그 중 3 L 750 mL를 이모에게 나누어 주었습니다. 남은 양배추즙은 몇 L 몇 mL일까요?

식 :

	7	L	500	mL
−	3	L	750	mL
	3	L	750	mL

답 : 3 L 750 mL

⑨ 현종이는 수조에 물을 7 L 490 mL 부었고, 찬헌이는 물을 4 L 230 mL 부었습니다. 현종이는 찬헌이보다 물을 몇 L 몇 mL 더 부었을까요?

식 :

	7	L	490	mL
−	4	L	230	mL
	3	L	260	mL

답 : 3 L 260 mL

⑩ 예진이는 어제 물을 2 L 150 mL 마셨고, 오늘은 어제보다 630 mL 더 적게 마셨습니다. 예진이가 오늘 마신 물은 몇 L 몇 mL일까요?

식 :

	2	L	150	mL
−			630	mL
	1	L	520	mL

답 : 1 L 520 mL

46 C3-측정 단위

P 48 ~ 49

1일 그램, 킬로그램, 톤

1톤은 1000킬로그램과 같고, 킬로그램은 1000그램과 같아.

❀ 밑줄 친 곳에 알맞은 수를 써넣으세요.

3 kg은 3000 g입니다.
1 kg = 1000 g → 3 kg = 1000 × 3 = 3000 (g)

① 2 kg은 2000 g입니다.

② 5000 g은 5 kg입니다.

③ 1 kg 200 g은 1200 g입니다.

④ 4250 g은 4 kg 250 g입니다.

⑤ 6 t은 6000 kg입니다.

⑥ 2900 kg은 2 t 900 kg입니다.

❀ 다음 물음에 답하세요.

귤 한 상자의 무게는 2 kg 보다 500 g 더 무겁습니다. 귤 한 상자의 무게는 몇 kg 몇 g일까요?
2 kg 500 g

① 아령의 무게는 5 kg입니다. 아령의 무게는 몇 g일까요?
5000 g

② 책의 무게는 1740 g입니다. 책의 무게는 몇 kg 몇 g일까요?
1 kg 740 g

③ 코끼리의 무게는 3 t입니다. 코끼리의 무게는 몇 kg일까요?
3000 kg

④ 민진이는 몸무게를 3250 g 줄였습니다. 민진이가 줄인 몸무게는 몇 kg 몇 g일까요?
3 kg 250 g

48 C3-측정 단위　　4주: 무게 49

P 50 ~ 51

2일 무게 어림

자신의 몸무게를 생각하면 무게를 어림하기 쉬울 거야.

❀ 밑줄 친 곳에 g, kg 또는 t을 써넣으세요.

수박 한 통의 무게는 약 15 kg 입니다.
15 t짜리 수박이 있다면 얼마나 좋을까?

① 클립 1개의 무게는 약 2 g 입니다.

② 코끼리 한 마리의 무게는 약 3 t 입니다.

③ 책 한 권의 무게는 약 800 g 입니다.

④ 하균이의 몸무게는 약 45 kg 입니다.

⑤ 자동차의 무게는 약 2 t 입니다.

⑥ 축구공의 무게는 약 450 g 입니다.

❀ 알맞은 무게를 골라 밑줄 친 곳에 써넣으세요.

4 g　400 g　40 kg　400 kg　4 t

피아노의 무게는 약 400 kg 입니다.

① 감자 한 개의 무게는 약 400 g 입니다.

② 트럭의 무게는 약 4 t 입니다.

③ 효진이의 몸무게는 약 40 kg 입니다.

④ 바둑돌 한 개의 무게는 약 4 g 입니다.

50 C3-측정 단위　　4주: 무게 51

P 52 ~ 53

3일 무게 비교

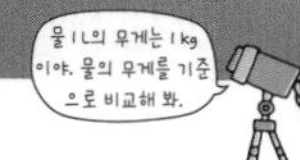

다음 물음에 답하세요.

우혁이의 책가방 무게는 2 kg 200 g이고, 장훈이의 책가방 무게는 2130 g입니다. 둘 중 책가방이 더 가벼운 사람은 누구일까요?

2kg 200 g = 2200 g
2200 (>) 2130

장훈

① 냉장고에 방울토마토 1800 g과 참외 1 kg 950 g이 있습니다. 방울토마토와 참외 중 냉장고에 더 많은 것은 무엇일까요?

참외

② 마트에서 쌀 5 kg 500 g 과 잡곡 6250 g을 샀습니다. 쌀과 잡곡 중 더 많이 산 것은 무엇일까요?

잡곡

③ 재활용품을 주희는 8450 g, 미란이는 8 kg 600 g 모았습니다. 둘 중 재활용품을 더 적게 모은 사람은 누구일까요?

주희

④ 코뿔소의 무게는 1 t 850 kg, 하마의 무게는 1600 kg입니다. 코뿔소와 하마 중 더 무거운 동물은 무엇일까요?

코뿔소

다음 물음에 답하세요.

마트에서 포도 1850 g, 참외 2 kg, 자두 1 kg 900 g을 샀습니다. 셋 중 가장 많이 산 것은 어느 것일까요?

2000 > 1900 > 1850
참외 > 자두 > 포도

참외

① 사과가 한 상자에 9 kg 150 g, 귤이 한 상자에 6800 g, 복숭아가 한 상자에 8570 g 들어 있습니다. 셋 중 한 상자에 가장 적게 들어 있는 과일은 무엇일까요?

귤

② 지은이, 설현이, 광수가 각각 밤을 4270 g, 4 kg 150 g, 5180 g 땄습니다. 세 사람 중 밤을 가장 많이 딴 사람은 누구일까요?

광수

③ 강아지의 무게는 4 kg 100 g이고, 고양이의 무게는 3 kg 240 g이고, 앵무새의 무게는 2850 g입니다. 세 동물 중 가장 가벼운 것은 무엇일까요?

앵무새

52 C3-측정 단위 · 4주: 무게 53

P 54 ~ 55

4일 무게의 합

그램의 합이 1000보다 크면 킬로그램을 받아올림해.

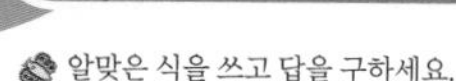

알맞은 식을 쓰고 답을 구하세요.

지원이네 집에는 쌀 3 kg 600 g과 잡곡 1 kg 500 g이 있습니다. 지원이네 집에 있는 쌀과 잡곡은 모두 몇 kg 몇 g일까요?

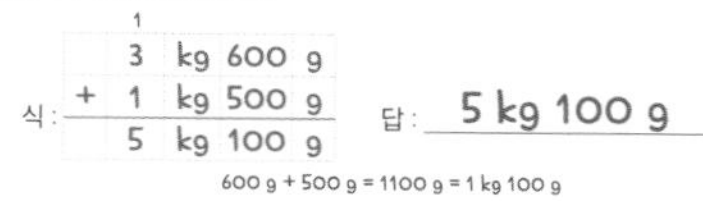

식 :

	3	kg	600	g
+	1	kg	500	g
	5	kg	100	g

답 : 5 kg 100 g

600 g + 500 g = 1100 g = 1 kg 100 g

① 무 2 kg 780 g을 사서 무게가 370 g인 바구니에 넣었습니다. 무가 담긴 바구니의 무게는 몇 kg 몇 g일까요?

식 :

	2	kg	780	g
+			370	g
	3	kg	150	g

답 : 3 kg 150 g

② 한 달 전 강아지의 몸무게는 4 kg 200 g이었는데 한 달 동안 2 kg 500 g이 더 늘었습니다. 강아지의 몸무게는 몇 kg 몇 g일까요?

식 :

	4	kg	200	g
+	2	kg	500	g
	6	kg	700	g

답 : 6 kg 700 g

③ 슬기가 딴 사과는 8 kg 600 g이고, 동하는 슬기보다 사과를 4 kg 650 g 더 땄습니다. 동하가 딴 사과는 몇 kg 몇 g일까요?

식 :

	8	kg	600	g
+	4	kg	650	g
	13	kg	250	g

답 : 13 kg 250 g

④ 고구마가 한 상자에 7 kg 150 g 들어 있고, 감자가 한 상자에 9 kg 620 g 들어 있습니다. 고구마와 감자의 무게는 모두 몇 kg 몇 g일까요?

식 :

	7	kg	150	g
+	9	kg	620	g
	16	kg	770	g

답 : 16 kg 770 g

⑤ 해민이의 책가방 무게는 5 kg 740 g이고, 상수의 책가방 무게는 4 kg 590 g입니다. 두 사람의 책가방 무게의 합은 몇 kg 몇 g일까요?

식 :

	5	kg	740	g
+	4	kg	590	g
	10	kg	330	g

답 : 10 kg 330 g

54 C3-측정 단위 · 4주: 무게 55

P 56 ~ 57

5일 무게의 차

그램을 뺄 수 없으면 킬로그램에서 1000을 받아내림 해야지.

알맞은 식을 쓰고 답을 구하세요.

지현이의 몸무게는 35 kg이고, 연우의 몸무게는 지현이보다 2 kg 450 g 더 가볍습니다. 연우의 몸무게는 몇 kg 몇 g일까요?

식 :

	34		1000	
	35	kg		
−	2	kg	450	g
	32	kg	550	g

1000 g − 450 g = 550 g

답 : 32 kg 550 g

① 하은이네 집에 쌀이 12 kg 520 g 있었는데 일주일 동안 쌀 4 kg을 먹었습니다. 하은이네 집에 남은 쌀은 몇 kg 몇 g일까요?

식 :

	12	kg	520	g
−	4	kg		
	8	kg	520	g

답 : 8 kg 520 g

② 냉장고에 포도 4 kg 720 g과 토마토 2 kg 660 g이 있습니다. 냉장고에 있는 포도는 토마토보다 몇 kg 몇 g 더 많을까요?

식 :

	4	kg	720	g
−	2	kg	660	g
	2	kg	60	g

답 : 2 kg 60 g

③ 사과 여러 개를 무게가 640 g인 광주리에 넣어서 무게를 재었더니 7 kg 850 g이 나왔습니다. 광주리를 뺀 사과의 무게는 몇 kg 몇 g일까요?

식 :

	7	kg	850	g
−			640	g
	7	kg	210	g

답 : 7 kg 210 g

④ 수일이의 책가방 무게는 3 kg 350 g이고, 장호의 책가방 무게는 2 kg 650 g입니다. 수일이의 책가방은 장호의 책가방보다 몇 kg 몇 g 더 무거울까요?

식 :

	3	kg	350	g
−	2	kg	650	g
	0	kg	700	g

답 : 700 g

⑤ 10 kg까지 담을 수 있는 가방이 있습니다. 이 가방에 4 kg 480 g의 짐이 들어 있다면 몇 kg 몇 g을 더 담을 수 있을까요?

식 :

	10	kg		
−	4	kg	480	g
	5	kg	520	g

답 : 5 kg 520 g

56 C3-측정 단위 · 4주: 무게 57

P 58 ~ 59

확인학습

다음 물음에 답하세요.

① 멜론 한 통의 무게는 4 kg 400 g입니다. 멜론 한 통의 무게는 몇 g일까요?

4400 g

② 돼지고기 한 근의 무게는 600 g입니다. 돼지고기 6근은 몇 kg 몇 g일까요?

3 kg 600 g

다음 물음에 답하세요.

③ 아빠가 사 온 수박의 무게는 7150 g이고, 엄마가 사 온 수박의 무게는 7 kg 310 g입니다. 더 무거운 수박을 사 온 사람은 누구일까요?

엄마

④ 일주일 동안 수연이는 몸무게를 1 kg 420 g 줄였고, 민진이는 1510 g 줄였습니다. 두 사람 중 몸무게를 더 적게 줄인 사람은 누구일까요?

수연

알맞은 식을 쓰고 답을 구하세요.

⑤ 마트에서 소금 2 kg 250 g과 설탕 3 kg 600 g을 샀습니다. 마트에서 산 소금과 설탕은 모두 몇 kg 몇 g일까요?

식 :

	2	kg	250	g
+	3	kg	600	g
	5	kg	850	g

답 : 5 kg 850 g

⑥ 고양이의 몸무게는 3 kg 150 g이고, 강아지는 고양이보다 2 kg 950 g 더 무겁습니다. 강아지의 몸무게는 몇 kg 몇 g일까요?

식 :

	3	kg	150	g
+	2	kg	950	g
	6	kg	100	g

답 : 6 kg 100 g

⑦ 일주일 전 소연이의 몸무게는 37kg 750g이었는데 일주일 동안 몸무게가 1kg 500g 늘어났습니다. 소연이의 몸무게는 몇 kg 몇 g일까요?

식 :

	37	kg	750	g
+	1	kg	500	g
	39	kg	250	g

답 : 39 kg 250 g

58 C3-측정 단위 · 4주: 무게 59

P 60

확인학습

알맞은 식을 쓰고 답을 구하세요.

⑧ 마트에서 무게가 7 kg 400 g인 수박과 무게가 2 kg 750 g인 멜론을 샀습니다. 수박은 멜론보다 몇 kg 몇 g이 더 무거울까요?

식 :

	7	kg	400	g
−	2	kg	750	g
	4	kg	650	g

답 : 4 kg 650 g

⑨ 준기가 가방을 메고 저울에 올라가면 무게가 40 kg 250 g이고, 가방을 메지 않고 올라가면 37 kg 650 g입니다. 가방의 무게는 몇 kg 몇 g일까요?

식 :

	40	kg	250	g
−	37	kg	650	g
	2	kg	600	g

답 : 2 kg 600 g

⑩ 지혁이네 가족이 옥수수 5 kg 850 g을 따서 2 kg 380 g을 삶아 먹었습니다. 남은 옥수수는 몇 kg 몇 g일까요?

식 :

	5	kg	850	g
−	2	kg	380	g
	3	kg	470	g

답 : 3 kg 470 g

60 C3-측정 단위

P62 ~ 63

1회차 진단평가

월 일	
제한 시간	10분
맞은 개수	/ 7개

✎ 다음 물음에 답하세요.

① 칫솔의 길이는 15 cm보다 7 mm 더 깁니다. 칫솔의 길이는 몇 mm일까요?

157 mm

② 도준이의 운동화 길이는 225 mm입니다. 도준이의 운동화 길이는 몇 cm 몇 mm일까요?

22 cm 5 mm

✎ 알맞은 식을 쓰고 답을 구하세요.

③ 오후 10시 10분에 끝난 야구 경기는 3시간 18분 25초 걸렸습니다. 야구 경기가 시작된 시각은 오후 몇 시 몇 분 몇 초일까요?

식 :

	10	시	10	분		
−	3	시간	18	분	25	초
	6	시	51	분	35	초

답 : 6시 51분 35초

④ 기선이는 목욕탕에 1시간 43분 30초 동안 있다가 오전 9시 21분 50초에 나왔습니다. 기선이가 목욕탕에 들어간 시각은 오전 몇 시 몇 분 몇 초일까요?

식 :

	9	시	21	분	50	초
−	1	시간	43	분	30	초
	7	시	38	분	20	초

답 : 7시 38분 20초

✎ 알맞은 식을 쓰고 답을 구하세요.

⑤ 3 L 450 mL의 물이 들어 있는 어항에 물 2 L 500 mL를 더 부었습니다. 어항에 들어 있는 물은 모두 몇 L 몇 mL일까요?

식 :

	3	L	450	mL
+	2	L	500	mL
	5	L	950	mL

답 : 5 L 950 mL

✎ 다음 물음에 답하세요.

⑥ 식당에 쇠고기 5280 g, 돼지고기 6 kg 50 g, 닭고기 6260 g이 있습니다. 셋 중 가장 많은 고기는 무엇일까요?

닭고기

⑦ 수환이의 볼링공 무게는 8 kg 950 g, 우종이의 볼링공 무게는 9 kg 380 g, 양수의 볼링공 무게는 9070 g입니다. 셋 중 가장 가벼운 볼링공을 가진 사람은 누구일까요?

수환

62 C3-측정 단위 / 진단평가 63

P 64 ~ 65

2회차 진단평가

월 일	
제한 시간	10분
맞은 개수	/ 7개

✎ 다음 물음에 답하세요.

① 태평양에 있는 어느 해구의 깊이는 6 km 325 m입니다. 이 해구의 깊이는 몇 m일까요?

6325 m

② 육상 선수가 한 바퀴에 400 m인 트랙을 8바퀴 돌았습니다. 육상 선수가 달린 거리는 몇 km 몇 m일까요?

3 km 200 m

✎ 다음 물음에 답하세요.

③ 집에서 학교까지 가는 데 8분이 걸립니다. 집에서 학교까지 가는 데 걸리는 시간은 몇 초일까요?

480초

④ 즉석밥을 전자레인지에 135초 동안 돌렸습니다. 즉석밥을 돌린 시간은 몇 분 몇 초일까요?

2분 15초

✎ 알맞은 식을 쓰고 답을 구하세요.

⑤ 식당에 식용유 6 L 500 mL가 있었는데 요리를 하는 데 2 L 950 mL를 썼습니다. 식당에 남은 식용유는 몇 L 몇 mL일까요?

식 :

	6	L	500	mL
−	2	L	950	mL
	3	L	550	mL

답 : 3 L 550 mL

⑥ 냉장고에 사과 주스 1 L 650 mL와 오렌지 주스 4 L 800 mL가 있습니다. 냉장고에 있는 오렌지 주스는 사과 주스보다 몇 L 몇 mL 더 많을까요?

식 :

	4	L	800	mL
−	1	L	650	mL
	3	L	150	mL

답 : 3 L 150 mL

✎ 알맞은 식을 쓰고 답을 구하세요.

⑦ 냉장고에 콩 1 kg 370 g이 있었는데 콩 3 kg 720 g을 더 사서 넣었습니다. 냉장고에 있는 콩은 몇 kg 몇 g일까요?

식 :

	1	kg	370	g
+	3	kg	720	g
	5	kg	90	g

답 : 5 kg 90 g

64 C3-측정 단위 / 진단평가 65

P 66 ~ 67

3회차 진단평가

월 일
제한 시간 10분
맞은 개수 / 8개

✎ 알맞은 길이를 골라 밑줄 친 곳에 써넣으세요.

1cm 5mm	1 m 50 cm	15 km

① 단추의 지름은 약 1 cm 5 mm 입니다.

② 은주의 키는 약 1 m 50 cm 입니다.

③ 두 도시 사이의 거리는 약 15 km 입니다.

✎ 알맞은 식을 쓰고 답을 구하세요.

④ 호진이가 체육관에 22분 30초 동안 있으면서 4분 35초는 쉬고 나머지 시간에는 운동을 했습니다. 호진이가 운동을 한 시간은 몇 분 몇 초일까요?

식 :

	22	분	30	초
−	4	분	35	초
	17	분	55	초

답 : 17분 55초

✎ 다음 물음에 답하세요.

⑤ 어항의 들이는 5 L 625 mL입니다. 어항의 들이는 몇 mL일까요?

5625 mL

⑥ 500 mL 들이 비커 7개에 물을 가득 채웠습니다. 비커에 가득 채운 물의 양은 모두 몇 L 몇 mL일까요?

3 L 500 mL

✎ 알맞은 식을 쓰고 답을 구하세요.

⑦ 볼링공의 무게는 8 kg 150 g이고, 농구공은 볼링공보다 5 kg 150 g 더 가볍습니다. 농구공의 무게는 몇 kg 몇 g일까요?

식 :

	8	kg	150	g
−	5	kg	150	g
	3	kg	0	g

답 : 3 kg

⑧ 양파 한 망의 무게는 4 kg 800 g이고, 당근 한 상자의 무게는 7 kg 550 g입니다. 당근은 양파보다 몇 kg 몇 g 더 무거울까요?

식 :

	7	kg	550	g
−	4	kg	800	g
	2	kg	750	g

답 : 2 kg 750 g

66 C3-측정 단위 진단평가 67

P 68 ~ 69

4회차 진단평가

월 일
제한 시간 10분
맞은 개수 / 8개

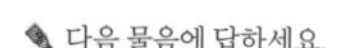

✎ 다음 물음에 답하세요.

① 준하 칫솔의 길이는 148 mm, 엄마 칫솔의 길이는 16 cm 5 mm, 아빠 칫솔의 길이는 150 mm입니다. 가장 긴 칫솔을 쓰는 사람은 누구일까요?

엄마

② 세 친구가 러닝머신 운동을 했습니다. 정훈이는 4850 m를 달렸고, 미현이는 5 km 225 m를 달렸고, 민형이는 5290 m를 달렸습니다. 셋 중 가장 짧은 거리를 달린 사람은 누구일까요?

정훈

✎ 알맞은 식을 쓰고 답을 구하세요.

③ 가로등이 오후 5시 40분 10초에 켜져서 4시간 34분 25초 동안 켜져 있다가 꺼졌습니다. 가로등이 꺼진 시각은 오후 몇 시 몇 분 몇 초일까요?

식 :

	5	시	40	분	10	초
+	4	시간	34	분	25	초
	10	시	14	분	35	초

답 : 10시 14분 35초

✎ 알맞은 들이를 골라 밑줄 친 곳에 써넣으세요.

100 mL	1 L	100 L

④ 물 1 kg은 1 L 입니다.

⑤ 미선이네 가족은 일주일에 물을 약 100 L 마십니다.

⑥ 종이컵에 음료수 100 mL 를 따랐습니다.

✎ 다음 물음에 답하세요.

⑦ 트럭에 실을 수 있는 짐의 양은 최대 2500 kg입니다. 이 트럭에 실을 수 있는 짐은 최대 몇 t 몇 kg일까요?

2 t 500 kg

⑧ 하영이네 강아지의 몸무게는 4 kg 100 g입니다. 하영이네 강아지의 몸무게는 몇 g일까요?

4100 g

68 C3-측정 단위 진단평가 69

P 70 ~ 71

5회차 진단평가

제한 시간 10분 / 맞은 개수 /8개

✎ 알맞은 식을 쓰고 답을 구하세요.

① 집에서 공원까지의 거리는 4 km 270 m이고, 집에서 마트까지의 거리는 2 km 560 m입니다. 공원은 마트보다 몇 km 몇 m 더 멀까요?

식 :

	4	km	270	m
−	2	km	560	m
	1	km	710	m

답 : 1 km 710 m

② 젓가락의 길이는 14 cm 3 mm이고, 숟가락의 길이는 12 cm 9 mm입니다. 젓가락은 숟가락보다 몇 cm 몇 mm 더 길까요?

식 :

	14	cm	3	mm
−	12	cm	9	mm
	1	cm	4	mm

답 : 1 cm 4 mm

✎ 알맞은 식을 쓰고 답을 구하세요.

③ 예솔이는 오후 4시 34분 20초에 요리를 시작해서 오후 6시 50분 45초에 요리를 끝냈습니다. 예솔이가 요리를 한 시간은 몇 시간 몇 분 몇 초일까요?

식 :

	6	시	50	분	45	초
−	4	시	34	분	20	초
	2	시간	16	분	25	초

답 : 2시간 16분 25초

✎ 다음 물음에 답하세요.

④ 빨간색 페인트가 5 L 250 mL, 파란색 페인트가 4725 mL, 초록색 페인트가 6 L 100 mL 있습니다. 셋 중 가장 많은 페인트는 무슨 색깔일까요?

초록색

⑤ 냉장고에 사과 주스가 1350 mL, 포도 주스가 975 mL, 망고 주스가 1 L 240 mL 있습니다. 냉장고에 가장 적게 있는 것은 무슨 주스일까요?

포도

✎ 알맞은 무게를 골라 밑줄 친 곳에 써넣으세요.

7 g	7 kg	7 t

⑥ 거미의 몸무게는 약 7 g 입니다.

⑦ 고양이의 몸무게는 약 7 kg 입니다.

⑧ 고래의 몸무게는 약 7 t 입니다.

“

The essence of mathematics is its freedom.

”

"수학의 본질은 그 자유로움에 있다."

Georg Cantor, 게오르크 칸토어